線画をスタイリッシュに描くために

森本美由紀
ファッション
イラストレーションの
描き方

森本美由紀 著

はじめに

タイトルの「ファッションイラストレーション」という言葉から、デザイン画や昔のスタイル画を想像する人もいるかもしれませんが、私の考えるファッションイラストレーションは、女の子が服を着ておしゃれをしている絵を描くことで、女の子のなりたいイメージを具体化したもの。服そのものを見せる絵ではありません。描きたい世界を無駄のないシンプルな線で表現するスタイルを追求しながら、さらにリファインされた普遍的な絵を目指してきました。

そのうえで欠かせないのが、人物デッサン。とくに10分程度で行なうクロッキーの練習は、絵の土台となり、アイデアの引き出しをつくるうえで大変役に立ちました。10年以上前から担当しているイラスト教室のレッスンでも、毎回モデルさんを囲んで、生徒さんたちと一緒にクロッキーに取り組んでいます。

そんな中、いつも皆さんに伝えてきたこと、指摘してきたこと、よく尋ねられたこと、さらには教室では見せることのできない仕事への取り組み方など、実践的なメイキングもふんだんに盛り込んだのが本書です。

ファッションイラストレーションを描きたいという人でなくても、イラストレーターとして人物を魅力的に描けるのは大切なこと。ぜひ本書を参考に、そのエッセンスをつかんでください。

もちろん、本書で紹介した手法や考え方は、あくまで私のスタイルですが、まずは本書の方法を繰り返し実践してみてください。そうするうちに、自ずと自分の目指す絵の方向や、そのために必要な自分ならではの上達方法が見えてくるはずです。

森本美由紀

ART-MIX
planner
Miyuki Morimoto
ART-MIX
planner
Miyuki Morimoto
2010
08
art-mix
planner
miyuki
morimoto
ART-MIX
planner
Miyuki Morimoto
08
art-mix
planner
miyuki
morimoto
08
art-mix
planner
miyuki
morimoto
08
09
art-mix planner
miyuki morimoto
09
art-mix planner
miyuki morimoto
2010
art-mix planner
miyuki morimoto

Contents

*Chapter**

01

Gallery

森本美由紀　作品ギャラリー

私のイラストレーションは、墨で描くスタイル画。黒一色で描いていても色や素材を感じさせる豊かな表現力が墨の魅力。ここではそんな墨による表現のバリエーションが味わえる作品を集めました。

Mademoiselle

'68 8
IN
ST-TROPEZ
JE TAIME...
MOI NON PLUS
BONJOUR!
MA BELLEYOITURE! ON DIRAIT UNE UNE CARABANE ARABE!

NO ENGLISH!
oui!
SLOGAN
SLOGAN
SLOGAN

CLick
ATTENTION-ATTENTION-
SHE GOES STRAIGHT TO THE EARTH BY THE ROCKET

*Chapter**

02

Preparation

描く前に

ファッションイラストレーションを描きたいと思うなら、ただ白い紙に向かっているだけではだめ。
描く力を養ううえで効果的な練習法や日頃すべきことなどを、私の経験も踏まえてお話しします。

Style à la mode

ファッションイラストレーションを描くために

街や雑誌などで、ファッションや魅力的な人の顔をたくさん観察してみましょう。
そして、そのどこに惹かれるのかを見極めること。それが描くことのスタート地点です。

自分が惹かれるものを見つける

私はイラストレーターとして描く仕事を続けながら、かれこれ10年以上、イラストレーションの学校でモデルデッサンやファッションイラストレーションのレッスンを担当してきました。

そうしたクラスでよく生徒さんたちに話すのは、自分のスタイルはすぐに決めなくていいということ。若くして自分の個性を完成しようとするより、まずは描く以前にいろいろなものを見て、「私はこれが好き」というものをどんどん蓄積していきましょう、と。時間のある時にいろいろ吸収しておくと自分の引き出しが増え、描きたいスタイルも見つかっていく。それをすこしずつ形にしていけるよう、学校や本などからスキルを学んで描く力を磨いていけばいいのです。

なかでもファッションやおしゃれな雰囲気の絵を描きたい人なら、洋服はもちろん、女の子の顔やスタイルを街や映画などでよく観察してみましょう。すてきだと感じたら、それを描いてみてください。描けたということは、自分が何に惹き付けられたのかを理解できたということ。「これいいなぁ」と感じたものをすぐに描くことで、手で覚えていきましょう。

私にとっては、海外の雑誌が、描くイメージのお手本になりました。とくに1960～70年代のティーン向けファッション誌『セヴンティーン』や『マドモワゼル』は、色といい写真といい、かわいらしさにあふれた誌面に夢を感じて、何度もすり切れるほどめくっていました。絵を学びはじめた10代で出合って以来、繰り返し開いてきたので、今ではすっかり頭に刷り込まれているほどです。

これらの雑誌に登場したモデルたちや、当時フランス映画で活躍したブリジット・バルドーやカトリーヌ・ドヌーヴ、ジェーン・バーキンといった女優たち、そして「アイドルを探せ」という歌が有名なシルヴィ・バルタンなどは、ヘアスタイルやメイクがすごく好きで絵心を誘われるのですが、当時はなかなか思うように描けなくて、試行錯誤しながら描ける方法を見つけていきました。

My Favorite Faces

好きな顔や表情をよく観察しよう

シルヴィ・バルタン

光に透けるプラチナブロンドのふわふわした髪がすごくかわいくて、絵心を誘われます。

ブリジット・バルドー

（B.B.）

表情からスタイルまでみんな好き。私が描く女の子の唇は、B.B. の表情と同じ雰囲気で描かれたものも多いです。

カトリーヌ・ドヌーヴ（左）

映画『ロシュフォールの恋人たち』や『パリジェンヌ』に登場した時のドヌーヴがすごくすてき。描きたくなります

ジェーン・バーキン

マニッシュなファッションやロングヘア、'60 年代風のアイメイクなどをバーキンのスタイルで描くことも。

資料はすべて著者私物。左上３冊：ブリジット・バルドーの写真集より。　右上：雑誌『マドモワゼル　アージュ・タンドル』No.34（1967 年４月号）表紙。
左下：オジー・クラークの写真集。右下：右ページのダニー・サヴァルは『パリジェンヌ』（'61 仏映画）に出演した女優。こちらも大好きな女優のひとり。

Style à la mode

ファッションイラストレーションを描くために

画家ルネ・グリュオーの絵

『ヴォーグ』のイラストやクリスチャン・ディオールのスタイル画で知られるグリュオー。ハイテクニックなのに軽やかに見えるのがすごい。「こんな絵があるなんて、しゃれてる！」って憧れました。

長沢節先生の著書

セツ・モードセミナー創設者、長沢節先生からは多くを学びましたが、とくに先生を介してエリクソンやグリュオーの絵を知れたことは大きかった。デッサンがすごく楽しみになりました。

時代ごとのファッションを知る

ファッションを描きたい人は現在流行している服だけでなく、昔のファッションも知っておいたほうがいいと思います。というのもファッションは温故知新で、すてきなものが色褪せずに繰り返されているからです。たとえば'70年代にイギリスで流行したブランド「BIBA」は、私がティーンの時、ちょっと大人の人が着ていて憧れていた服ですが、今またリバイバルしています。ほかにも各時代ごとの流行やスタイリングを知っていれば、描いた時に説得力が出てくるし、そこから描きたいものが絞られてくる人もいることでしょう。

私がこうしたブランドやデザイナーを知るのは、映画や写真集で目にしたドレスのかっこよさに惹かれてということが多く、クリスチャン・ディオールを再認識したり、フォトグラファーのアヴェドンを知ったのも映画からでした。

自分の好きなものを積み重ねていくと、自分がどういう人間で、どういうものを描きたいかがはっきりしてくる。そこから自然と自分のスタイルが見つかるようにもなるのです。気になった人の絵を見るのも、人と出会うのも、自分の絵を人に見せて意見を聞くのも大切。最初は完成していなくて当たり前なのだから、めげずに今できることをどんどん積み重ねて、向上していきましょう。

海外のコミックス

筆のタッチで描かれたスタイリッシュな絵が多く、コマ割も絵もメリハリがあってすごくかっこいい。とくに右上のグイド・クレパックスの絵は大好きです。

'50 ～ '70 年代の
ファッション誌
『セヴンティーン』

掲載されている写真が広告写真ひとつとってもかわいい。モデルの女の子たちがキュートで何度も繰り返し見ました。すっかり頭に刷り込まれているので、私が描く絵にもにじみ出て見えると思います。

'60 ～ '70 年代の
ファッション誌
『マドモワゼル』

ちょっと知的なお嬢さんたちに似合いそうな、シャーベットトーンの服……スタイリングなどがお菓子みたいに甘くてかわいくて印象的でした。

◎ 34P 左端：ルネ・グリュオー作品集。隣は３冊とも長沢節氏の著書。左から順に『DESIGN NOTE』（東京ミューズ巧芸社）『わたしの水彩』『新版 デッサン・ド・モード』（美術出版社） ◎ 35P 左上：雑誌『セヴンティーン』（'55 ～ '62 年より）、右上：海外のコミックス。左上はジャン・クロード・フォレストの『バーバレラ』（仏）、右上は『ヴァレンティナ』（伊）、下は左がイギリス、右がアメリカのコミック誌。右端は『ヴァレンティナ』ソフトカバー版。下：雑誌『マドモワゼル』（'60 ～ '61 年より） 以上、すべて著者私物

Tools

描く道具

机に並ぶのは、私が普段から使っている描く道具。それほど画材には凝っていませんが、長年使ってきた愛用品ばかりです。これさえあれば、どこでも描くことができます。

デッサンから仕上げまで イラストレーションを 描くための道具

○ 36P 左から順に／デッサン用のスケッチブック：片手で持ってそのまま描ける表紙の堅いものが使いやすくておすすめ。サイズはB4（25.7 × 36.4cm）ぐらいが目安。大き過ぎても小さ過ぎても練習には向きません。／鉛筆削り・消しゴム・鉛筆：鉛筆はHやF、HBなど筆記用でもOK。ごまかしのない線が引けるように、硬めの芯で細くはっきり描ける鉛筆を選びます。／奥のパソコン（Mac）：作品の仕上げ段階で使用。最近は作品を画像データで送ることが多いのでスキャナーとともに必需品です。Mac には Photoshop などのアプリケーションを搭載。

○ 37P 左手前から順に／製図用のペン（ロットリング）と補充用インク：瞳など細かい点を描く時に使うことがあります。／アルミ皿：絵具を水溶きする、アルミ製の皿を墨汁用に使っています。軽くてこわれにくいので、持ち運びにもいい。／面相筆：日本画で人物の顔を描くための筆。だからこそ、細い眉などを描きやすい。使用しているうちに筆先が短くなってぎざぎざになると、筆先をはさみで切って好きな太さにします。ペン立てに太い毛先のものも入れてありますが、普段はほとんど、手前に置いたこの面相筆のみで描き分けています。／墨汁：文房具店でも扱っているような一般的なもの。／マーカーペン：カラー作品を描く時の仕上げに使用。パントンの色番号に対応したトリアマーカーとコピックを併用しています。（詳細は96P ～）／机の右サイドに見えるガラス板は、ライトボックス。これでデッサンをトレースします。※この机には最初から写真のようにライトボックスがはめ込まれています。「IKEA」で購入。

Approach to draw model

クロッキーの準備

ファッションを描くための基礎力を付けてくれるのが、モデルデッサン。
本書では、短時間で特徴をつかむクロッキーをメインに練習していきます。

紙に収まるように描く

紙のなかに、頭の先から足のつま先まで、モデルの全身がバランスよく収まっています。無理やり収めるように描くのはNG。どう描けばいいか計算して描きましょう。

紙に収まりきらない時は

モデルの全体像が把握しにくい位置から描きはじめると、全身を紙に描ききれないことが。足先を小さくするよりは、そのままはみ出すように描いて。

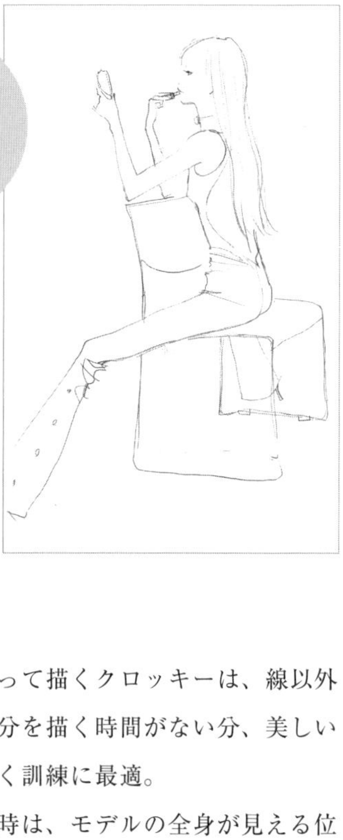

紙に全身を収めるように描く

絵には､線を引く描き方と面を塗る（色を使う）描き方の２つの側面があり、その両方を使って描く人もいます。線をメインにした作品を描きたい人にとって、人体のラインの美しいところを拾ってきれいな線を描くデッサンは役に立ちます。色を重視して描く人には、必ずしもデッサンは必要ありませんが、構図を上手に捉える練習にはなります。逆に線を重視して描く人でも、色も使うのであれば色彩の勉強、着色の練習もしてください。すこしでも線の要素がある絵を描くならデッサンで確実に線がきれいになります。とくに１分、10分、と時間を区切って描くクロッキーは、線以外に影など余計な部分を描く時間がない分、美しい線だけを絞って描く訓練に最適。

デッサンをする時は、モデルの全身が見える位置に立ち、ぴんと来たラインから描いてみてください。ぴんと来ない時は、最低３回はモデルの周りをまわって、「ここ！」と思う箇所から描きはじめましょう。自分が感動して描くと、人に伝わるものです。自分がモデルのどこがいいと思ったか、感動して描いてほしいと思います。

同時に、デッサンはスペースに絵を収める練習でもあるので、全身をバランスよく描けるよう心がけてください。

モデルのつま先まで見える位置で描く

B４程度のスケッチブックを片手に持ち、モデルを観察した時、頭から足のつま先まで見えているかを確認してください。

全体が見えているかチェック

モデルが立っていても座っていても、全身を捉えて描くこと。足先が見えないまま描いてはいけません。

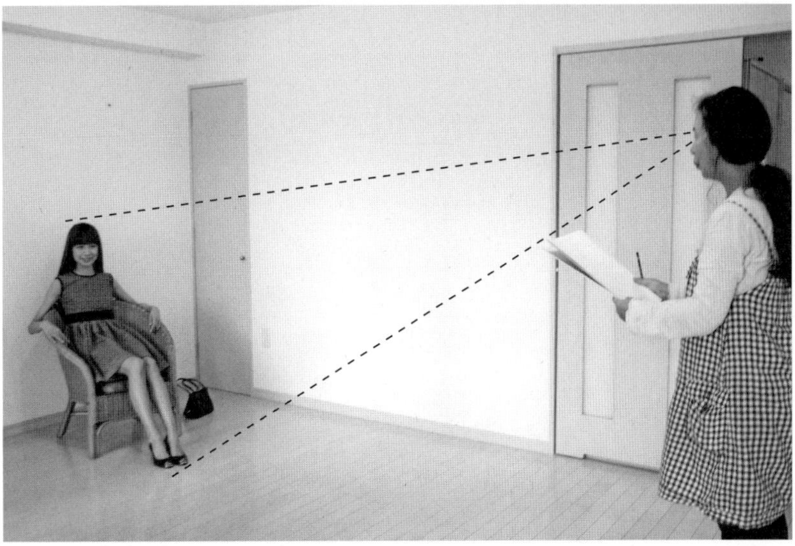

Training Programme

上達のためのトレーニングメニュー

人をドキッとさせられるオリジナリティのあるイラストレーションを描くためには、どんな目標を掲げ、どう練習していけばいいのでしょう。

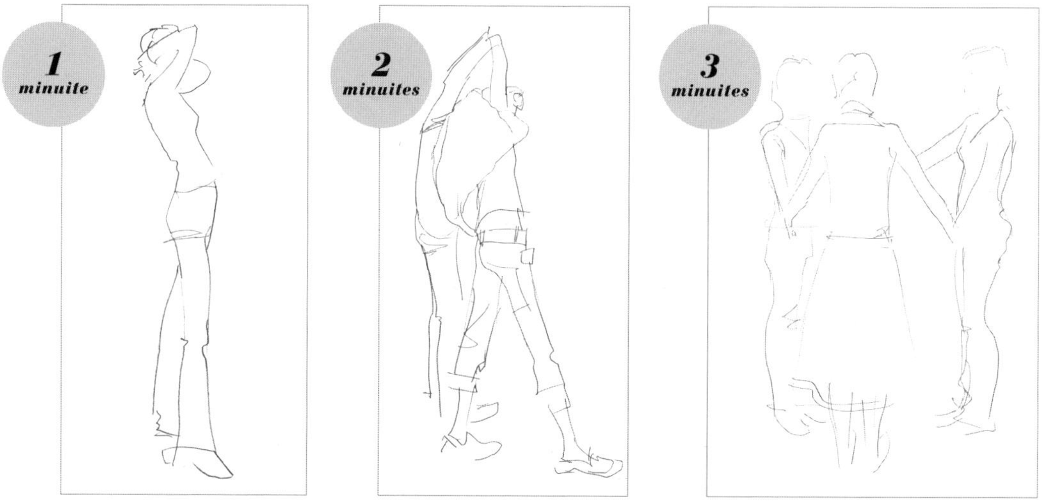

左からそれぞれ、1分、2分、3分で描いたクロッキー。ごく短時間なので、無駄な線を描かないようにするのがポイント。

線を鍛えて作品を描くベースをつくる

描くための基礎をつくるクロッキーは、実力に合わせて目標を掲げながら描くとより効果的です。できれば、描いたものを人に見せ、人の描いたものも見ること。人の絵を見ることは刺激にもなり、客観性が生まれるからです。

練習する時はストップウォッチをそばに置いて、1分、2分、3分、10分、などと時間を区切って描くようにしましょう。1回6～7枚で全2時間ぐらいを毎日（3～5日程度）、もしくは、なるべく間隔をあけずに続けること。生徒さんたちを見ていると、そのぐらい繰り返した人は、自然と描き慣れてきて、線がきれいになり、1枚の紙の中にバランスよく絵を収められるようになっています。

それは描く対象がかたまりで捉えられるようになったということ。これがクリアできてはじめてバランスのとれた構図がつくれるようになり、ディテールを描く土台に立てるのです。次の目標は、人物の着地感や重心、体の流れが伝わるように描けること、そして自分が感動した部分が人に伝わるように描けることです。そのためにも枚数を描いてください。やめないで続けていくうちに、鉛筆の神様がふわっと指先に降り立つ瞬間が訪れるはずです。そうなれば描くのがより楽しくなりますよ。ぜひその瞬間を味わってください。

Level 1（初心者）

上達目標

1本の線をきれいに描けるようになる。
紙にすぽっと全身を収めて描けるようになる。

- □ 体のバランス、顔の向きなど、観察したままのモデルの輪郭をそのまま捉えて描く練習
- □ 1分間で1人のモデルの輪郭だけを描く練習
- □ 慣れてきたら、2分で2人のモデル、3分で3人のモデル（できれば手をつないでもらって）が一緒にいる姿をひとかたまりで描く練習
- □ さらに慣れてきたら、10分間で紙のなかに1人のモデルの頭から足のつま先までをすっぽりとバランスよく描く練習

Level 2（中級者）

上達目標

人物の着地感や重心、体の流れを正確に捉えられるようになる。
人物の存在感が出せる。

- □ 10分間で紙のなかに1人のモデルをバランスよく描くと同時に、着地感（地面にちゃんと立っているように見えるか）、重心（体の傾き）や体の流れ（体の向き）を的確に捉えることを意識して描く練習
- □ 顔や頭、手、足・靴など、難しい人体のパーツを個別に描く練習
- □ 描きにくいいろいろなアングルから、モデルの輪郭を観察したとおりに捉えて描く練習

Level 3（上級者）

上達目標

自分が感動して描いた部分が人に伝えられるように表現できる。
ドキッとする部分のある、オリジナリティのある絵を描けるようになる。

- □ 10分間で自分が感じたモデルの魅力を表現できるようにする練習
- □ 自分が描きたいオリジナリティの方向性、目指す絵のスタイルに合わせてデッサンする練習
- □ モデルを見てポーズや体の向きを的確に捉えながらも、要素をデフォルメしてより魅力的なデッサンにする練習

*Chapter**

03

Croquis Drawing

モデルクロッキー

モデルを短時間で描くクロッキー。これをやるのとやらないのとでは、かなり差が出ます。
自分の作品の表情を豊かにするために、ぜひ挑戦してみましょう。

Drawing a Simple Line

シンプルな美しい線で描く

同じクロッキーでも、求められるクオリティは初心者と中級者、上級者では異なります。41ページの練習メニューを参考に、実際に人を見て描いてください。

身体をかたまりとして捉える

イラストレーションはどんなスタイルで描かれていても、どこか軽みがあったほうがいいと私は思っています。たとえば雑誌に掲載されるなら、写真や文章など要素のたくさんある中で、しつこさを出さないほうがおしゃれに見えると思うのです。そして、さらっと描かれているように見せるには、線が美しくないといけない。影や曖昧なぼかしは不要です。影やぼかしで立体感を出そうとすると、うまく描けたつもりで満足してしまう。そうすると線がごまかされ、本当はうまく描けていなくても気づきにくくなります。

また、モデルの全身をはみ出したり頭でっかちになることなく、紙のスペースにバランスよく収めて描けるようになることも、初心者にとってはクリアすべき課題。イラストレーションの仕事は、限られたスペースにどう描くかが大切なので、その意味でも基本中の基本だと思います。

バランス感をつかむには、モデルをひとかたまりで捉えられるようになること。それができない人は、まずは1分で1人、2分で2人、3分で3人を描くような、ごく短時間のクロッキーを繰り返すとよいでしょう。人物のどこをどう捉えて描けばいいのかがわからないまま10分も与えられると、余計なものをたくさん描いたり、顔を見て、首を見て、脚を見て、とパーツをばらばらに観察しているのがわかる、全体像がつながらない絵を描いてしまうからです。

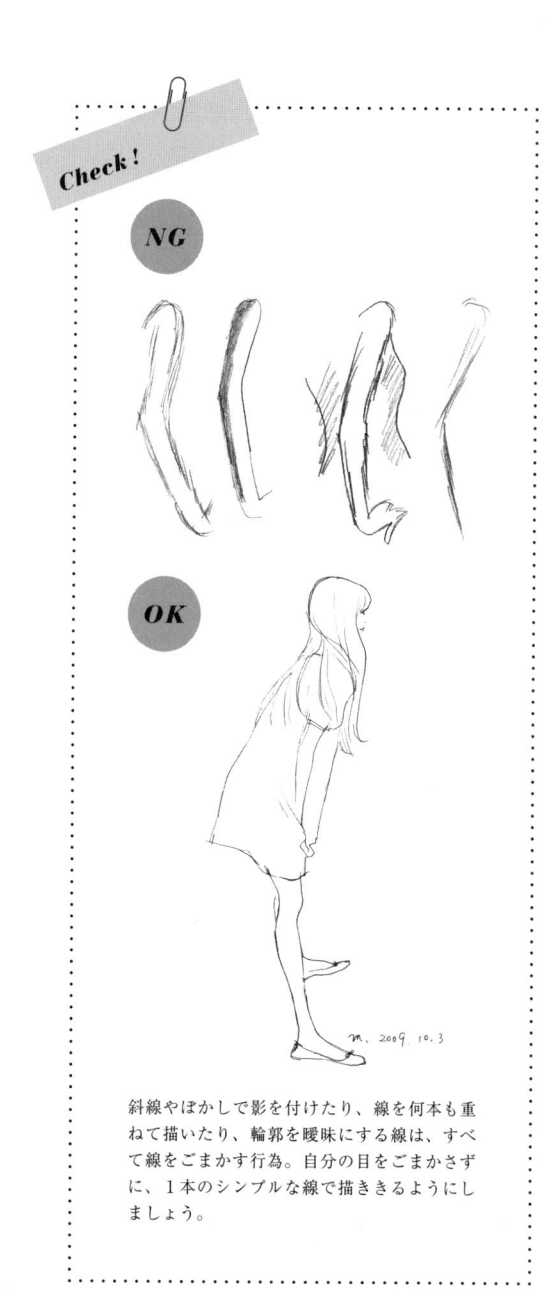

Check!

NG

OK

斜線やぼかしで影を付けたり、線を何本も重ねて描いたり、輪郭を曖昧にする線は、すべて線をごまかす行為。自分の目をごまかさずに、1本のシンプルな線で描ききるようにしましょう。

Let's try!
描いてみよう

どう描くかを決めたら、一気に描き進めます。
少ない線でフォルムを正しく捉えるよう
意識していくことで、線は確実に鍛えられます。

後ろ姿を描く

後ろ姿は顔がない分、描きやすいと思いますが、その倍以上、顔を入れたポーズを描く練習をしてください。

1

髪と脚に注目

モデルの髪のバラけた感じや、脚のひざの後ろのくぼみなどのラインをきれいに描こうと見定めます。

↓

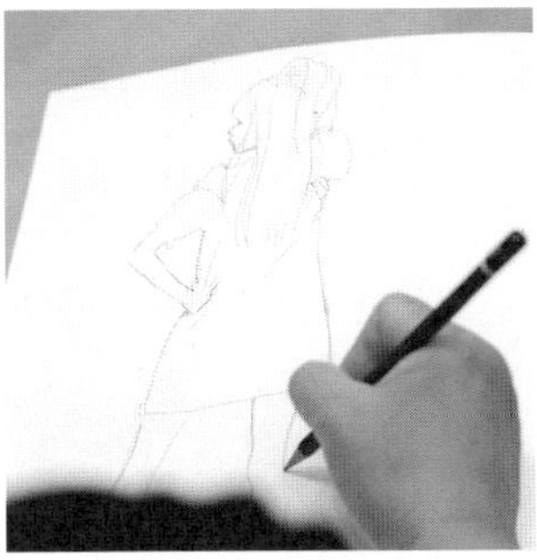

2

頭から足へ 上から順に描く

ここを描きたい、という部分が見つかったら、輪郭のきれいなラインを選んで、一気に頭から服へ、服から脚へ、と線を運びます。

前傾姿勢を描く

初心者にとっては、モデルを横から描くほうが立体感がつかみやすいかもしれません。

1

緩急をつけて

脚を広げ、やや前傾になったモデルの姿を描きます。奥行きの違う両脚を立体的に描くのが難しいと思いますが、緩急をつけて描いてください。

↓

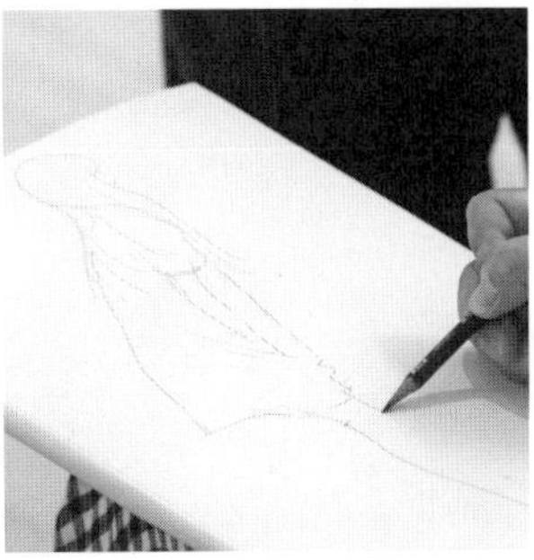

2

なるべく 少ない線で描く

描きはじめは頭からすーっと線を引く感覚で、できるだけ少ない線で輪郭線だけを描くように線をつなげます。

↓

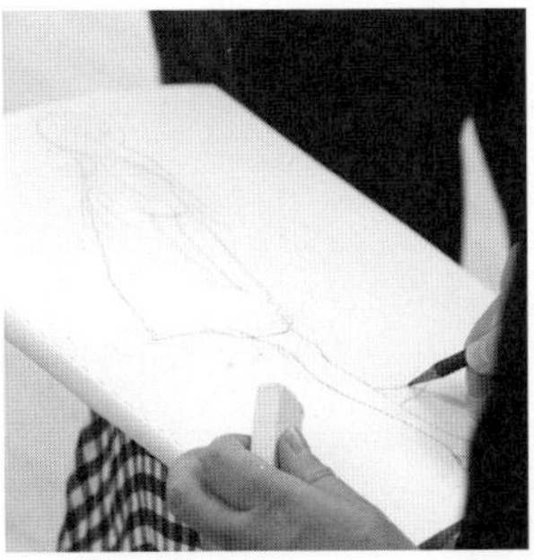

3

消しゴムで余計な線を消しながら

全体のラインに影響するので、無駄だと判断した線は残さずすぐに消しゴムで消していきます。

2人を2分、3人を3分で描く時のポイント

複数の人物を描く場合も1人の時と一緒。それぞれを別の人物だと考えず、全体をコップや花瓶と同じひとかたまりの物体として捉えることで、シルエットがつかめるようになります。

Drawing various poses

いろいろなポーズを描く

作品づくりをする際の引き出しをたくさん持つためにも、
クロッキーでは自分が描きにくいアングルも含めいろいろなポーズを描きましょう。

はじめは、見たままを描く

モデルをバランスよく紙の中に収めて描けるようになった中級者以上の人は、次に自分が描いたモデルがちゃんと地面に立っているように描けているか、重心や体の流れがどうなっているかを考えながら描くようにしていきましょう。

その時、はじめはモデルをデフォルメせず、見たままの体のプロポーションを写し取るようにすること。頭の中のイメージで描かず、きちんと観察して描くことを徹底しましょう。人は見ているようで見ていないもの。気づくとモデルをクロッキーしていても、漫画みたいに描いてしまう人がいます。頭の中の観念で描いているのです。でも、実際にモデルをきちんと観察して描くようにすると、人体にはこんな線があるんだ、あんな線もあるんだ、と発見して、描くための引き出しが増えていきます。体の線のおもしろさがつかめれば、作品を描く時にフィードバックされ、絵に広がりや奥行きが出てくるはず。それを踏まえ、いろいろなポーズを描いてみましょう。正面と真横など、得意なポーズばかり描いていると、同じような絵ばかりになってしまいます。

モデルの周囲を何度もまわって観察し、「ここ！」という部分を見つけましょう。観察しなければ描けないアングルやポーズを描くようにすれば、難しいポーズであるほど自分の線を鍛えてくれます。

Check !

デフォルメなしで描いた例

人体のプロポーションや体の流れ、重心などをきちんと描けるようにしましょう。

Let's try!
描いてみよう

これらは、作品の下絵にする場合も想定して、
モデルの姿をデフォルメして描いたもの。
皆さんの練習では、以下と同じようなポーズを身近な人にとってもらい、
見たままのバランスで描いてください。

Point*1
前傾姿勢

奥のほうに体が傾いているので、上半身が短く見えます。それを見える状態のまま描きましょう。

Point* 2
シューズをはく姿

椅子に足を乗せている姿は、椅子と足をセットで捉え、ひとかたまりに見えるように描くのがポイント。

Point* 3
床に座る

床を支える手足やひざまわり、奥のほうが短く見える点などに注目。

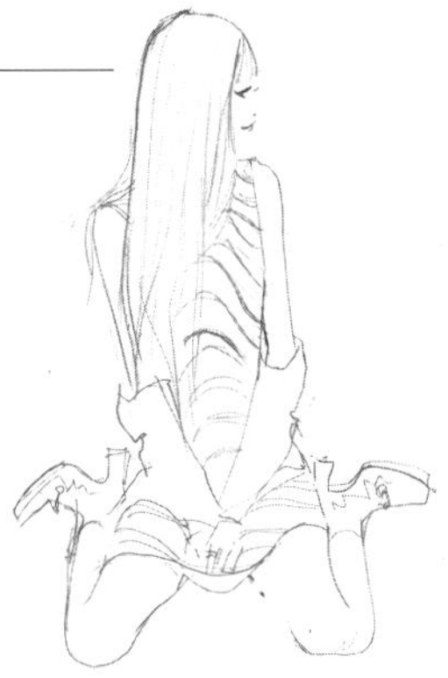

Point* 4
椅子に座る

椅子と人をバラバラに捉えずひとかたまりで描いて。椅子の位置に気を付け、全体の中でモデルを描くこと。

Point* 5
床に座る

手を後ろに着いて座ったモデルの後ろ姿。手足が床に着いているのが感じられるように描いて。

描きにくいポーズを見つける

普段あまり目にしないポーズやアングルから人体を描くようにすると、観念だけに頼って描くことができないので、嫌でも観察して描くことになります。描いたことのないポーズを探し、描き続けてください。

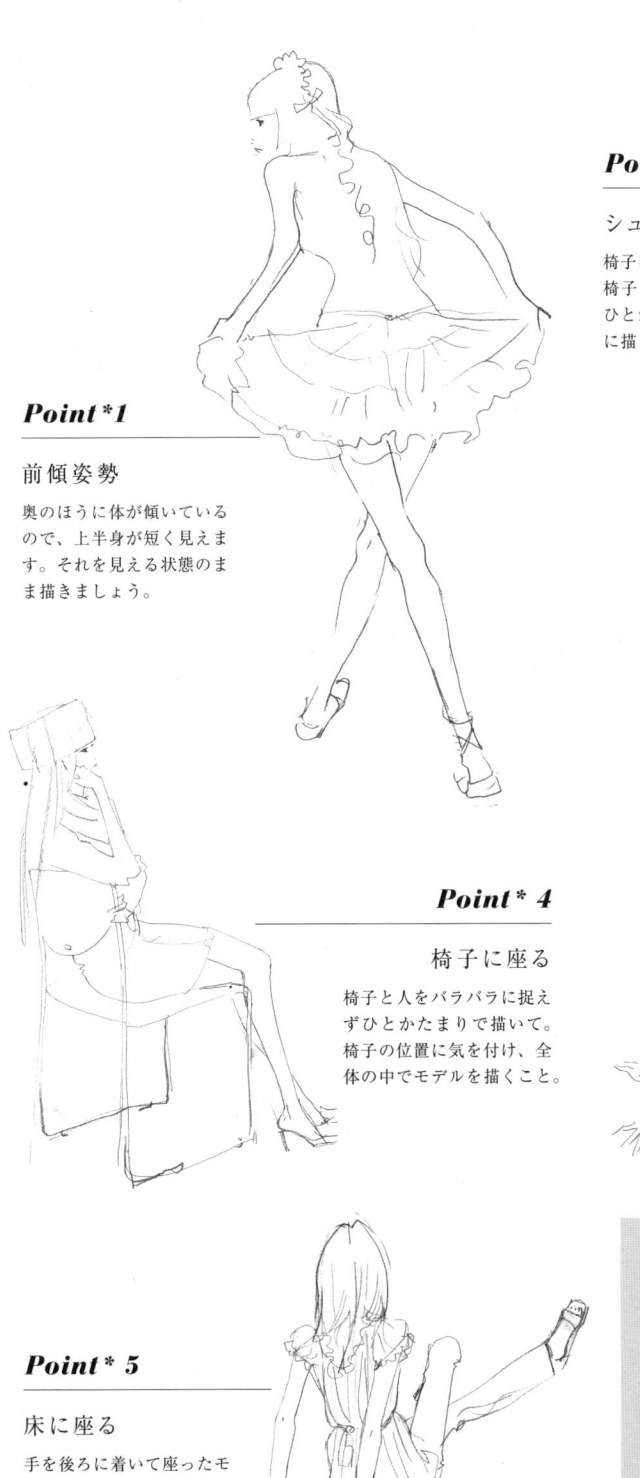

Face & Head

顔と頭を描く

人を描くイラストレーションでキーポイントになる顔と頭。こんな表情があった、あんな顔があった、と想像で描かずに、見たままを描く練習を繰り返しましょう。

よく観察して描こう

よく生徒さんたちに「顔は大切」という話をします。ファッションイラストレーションでは人の顔がアイキャッチのポイントでもあるので、とくに顔を魅力的に描けることが大切なのです。

ただし、クロッキーの初心者がまずするべきことは、人の顔の立体感やアングルなどをきちんとつかめること。人の顔には性格が現れるし、その時々の感情が表出する複雑なパーツですが、よく目にしていると思う分、わかったつもりになりがち。だから、顔を描いたクロッキーを見れば、きちんと観察して描けているか、頭の中のイメージでつくって描いたのかがわかってしまいます。

できるだけ、意外なアングルから人の顔を描いてみましょう。かわいく描こうとか、好きな顔にデフォルメしようというのは、イラストレーションの作品をつくる段階で考えればいいこと。クロッキーの練習の時は、「イメージでつくらない」を基本にしてください。いずれ自分のカラーはにじみ出てくるので、まずは個性を考えず、いろいろなアングルから人の顔を描けるようになることを目標に。

そのためには、日頃からお互いの顔を描き合える仲間をつくったり、家族や友人の顔を描かせてもらうなど工夫も必要。ぜひ、体全体を描く時と同様、描く前によく観察して、「ここがすてき！」と感動したところから描いていってくださいね。

Check !

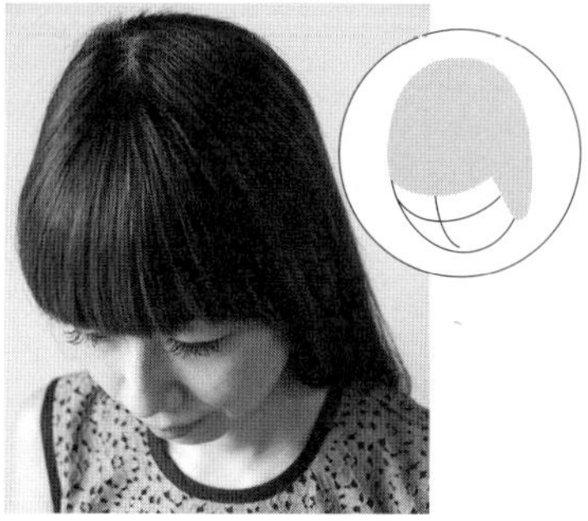

上から見たアングル（※）

頭部がすごく大きく見えて、あごにかけて顔まわりがすごく小さく見える。正面から見た時とは異なるそのサイズ比をきちんと捉えることがポイントです。

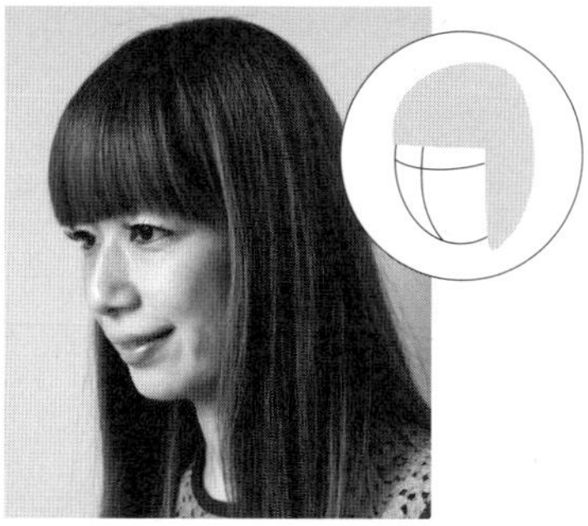

斜め横からのアングル

この顔のバランスのまま上の写真の顔（※）を描く人もいるほど「人の顔ってこういうもの」という刷り込みのある人も。観念に捉われず観察したままを描きましょう。

Let's try!
描いてみよう

これまで私が描いてきたデッサンから
頭部のアングルのバリエーションを抜粋しました。
人の顔を線で捉える時のバランス感を参考に、
実際に人の頭部を見てクロッキーをしてみてください。

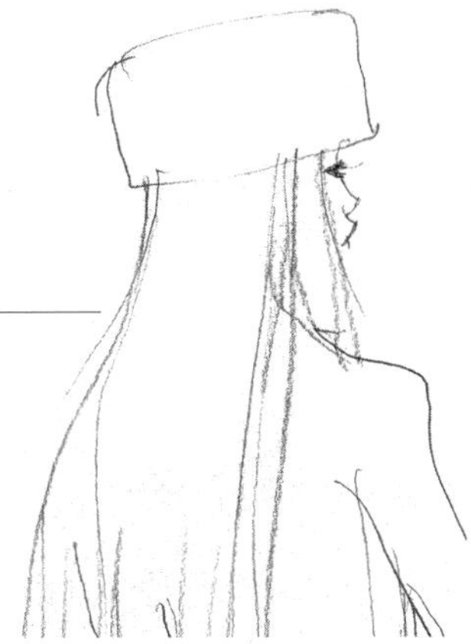

Point 1*

横顔

目しか見えない顔のパーツ感を伝えられるよう、横顔の輪郭をあっさりと表現しました。

Point 2*

右下を向く顔

首は見えていなくても髪の中にちゃんとある。そう見えるよう、あごや首の位置をつかみ、髪の流れを描くのがポイント。

Point 3*

右斜めを向く顔
（描き手から見て）

首のひねり具合、髪の毛のバラけ具合を捉えるのが難しいアングル。微妙な位置関係に気を付けて。

Point 4*

左下を向く顔

頭頂部が見えるぐらい頭が傾き、顔の面積が狭くなっています。このバランスを的確に描いて。

Point 5*

左斜めに傾けた顔
（描き手から見て）

あごをちょっとあげているので頭の上のほうが狭く、顔が広く見えます。正面顔は平面的になりがちなので、立体感を捉えて。

描く時間に制限をつけて描く

クロッキーでは、じっくり30分かけて描くのではなく、1分、2分、3分、10分、と制限時間を決めて描く練習をしてください。人の顔はこういうもの、といった思い込みを取り払ってよく観察しながら描くことを繰り返してください。

Hand and Fingers

手と指先を描く

手の表情、とくに指先は、顔ほどにものを言うパーツ。エレガントな佇まいも、ガーリーな雰囲気も、指先ひとつで醸し出せるように練習していきましょう。

指先を丁寧に描こう

イラストレーションでは、人が何かしている姿を描くことが多いもの。携帯電話をかける指先ひとつとっても、リボンを結んだり、顔に手を添えて物思いにふけったりと、何をするのにも手や指先がその動作やシチュエーションを伝えます。

つまり、手や指先を描くことは基本中の基本と言えますが、複雑な形をしているためにすこしアングルが変わるだけで見たことのない形に見えてくるので、描くのが難しいパーツです。私にとっても今でも難しいと思えるのが手と指の表情づくり。そこで、生徒さんたちにも全身とは別に、手と指先は個別にクロッキーするなどフォローしたほうがいいと勧めています。ちなみに、とくにフォローしたほうがいいパーツは、顔と手の指、足まわり。

練習の時は、顔と同じように、手や指も見慣れないアングルから描くようにします。手の平から見て描くとか、すごくしならせて描くとか、手を頭の上に組んで描くとか。見たことのない様々なアングルから描くことで、観察力と描く力を鍛えましょう。

私も学生のころ、よく先生に「とにかく何かしている人の姿を描きなさい。テーブルにあるお茶を椅子に座った女性が優雅に飲んでいる、そんなシーンが描ければ一人前」と言われたものです。クロッキーで練習を重ねるうちに、そうしたさりげない人のしぐさも、表情豊かに描けるようになるはずです。

Check !

ほおにあてた手

リボン結びをする指先

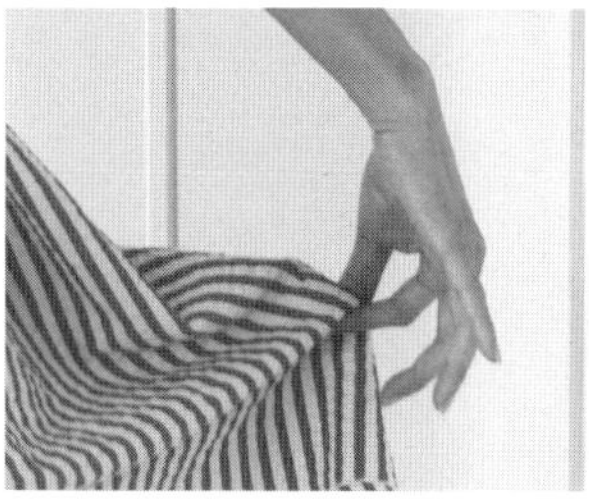

すそをつまむ指

このように、何かしている手や指を描きましょう。関節やつめの先もよく観察して。

Let's try!
描いてみよう

指先のバリエーションを描き分ける練習をしておくと、
どんなシチュエーションも躊躇することなく描けるようになります。
私の習作も参考にしつつ、
実際の手を見ながら練習してください。

Point 1*

帽子に乗せた手

手は意外と大きなパーツ。顔の大きさに対して手が大き過ぎたり小さ過ぎたりしないか、サイズ感に気を付けて。

Point 2*

鏡を持つ手

鏡をちゃんと手で持っているように見せられることが大切です。よく観察して描いて。

Point 3*

リボンを結ぶ手

ちゃんとリボンを結んでいるように見えることがポイント。このように、しっかり見ないと描けないポーズをどんどん描きましょう。

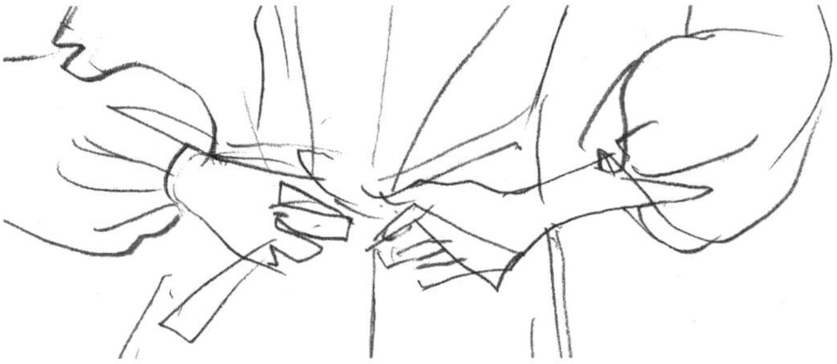

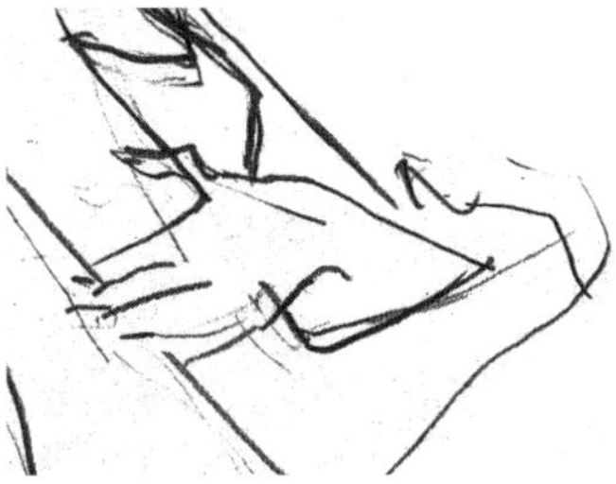

Point 4*

腕を組んだ時の手

左の腕にまわした手のフォルムや長さがポイント。手前の指の関節も自然に見えるように。

Point 5*

頭の後ろで組んだ手

まず手を組んでいるように見えることが大切。たくさんある指をゴツゴツさせず、自然に、しなやかに描けるように練習を。

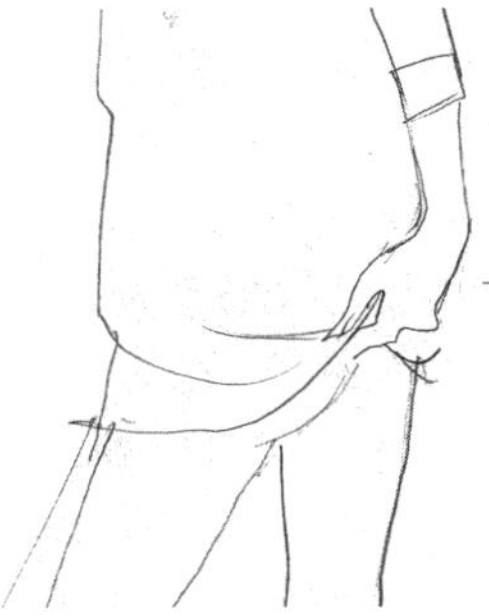

Point 6*

服をつかむ手

いろいろなものをつかんだり、つまんだり、手に持ったりした指先を描く練習をしましょう。

自分の手を見て練習しよう

手足と指先は、自分の体を実際に見て描くこともできるパーツ。モデルのいない時は利き手に鉛筆を持ち、反対の手を開いたり閉じたり、そらせたり握ったりと、動かして観察しながら描いてみてください。

Arm

腕を描く

腕は脚と同様、ラインの美しさをきれいな線で表現したいパーツ。
２本の線を引くだけで腕の美しさが伝わるようにしましょう。

いろいろな動作を観察して

私にとって、腕は脚と同じで、ラインの美しさを引き出すように描くのが楽しいパーツ。肘の形、肘から二の腕にかけてのライン、肘の内側のくぼみなど、「ここ、きれい！」と思いながら楽しんで描いています。それに腕が上手に描けると、すべての動作がしなやかに、説得力のある絵に見えてきます。ぜひ、様々な腕のポーズが描けるよう練習を重ねましょう。

クロッキーでは、ポケットに手を入れたり、腕を伸ばしたり、髪をかきあげたりと、モデルに腕全体を使う動作をしてもらいましょう。とくに難しいのは、腕を曲げて正面から見た時のフォルムや、軽く曲げた腕を後ろから見たフォルム。肘はどう表現するか、腕を折り曲げた部分はどう描くか、観察しながらよりよい表現を探りながら描いてみてください。

また、自分の腕で、肘の骨の形や筋肉のふくらみをチェックしたり、腕を伸ばしたり曲げたりして、シルエットを見てください。全身鏡の前に立ち、すこし離れて自分の腕を動かして観察してみるのも発見があると思います。

前項でも書きましたが、ともすると人は見ているのに見えていない、ということがあるものです。人の腕の形ってこう、という思い込みを打ち破り、目の前で見たままを描いてみてください。実際に手を動かして描きながら観察することで、もっといろいろな線や形が存在することが見えてくるでしょう。

Check !

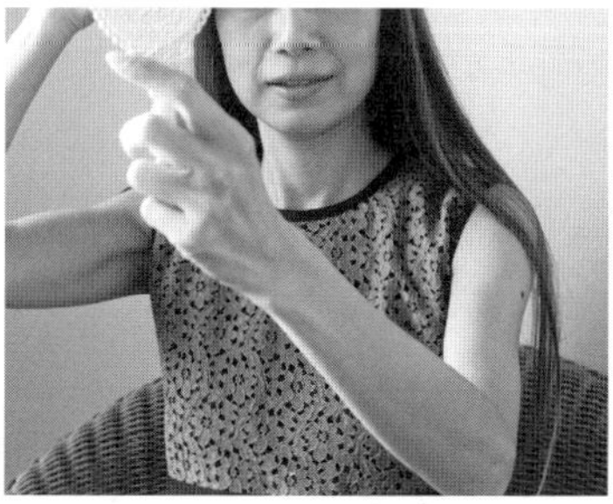

鏡を持つ

上にあげる

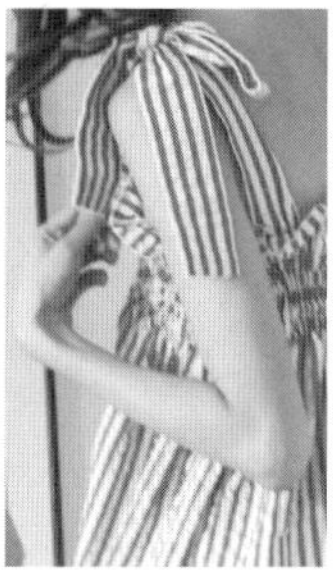

自然に曲げる

自然に伸ばす

日常的な動作でも、これだけ腕の表情に変化が出ます。注意したいのは腕を曲げて正面から見た腕のフォルム。つい腕を曲げて横から見た時のフォルムのまま描きがちですが、よく観察して、腕の重なりや遠近感を理解して描くようにしましょう。

Let's try!
描いてみよう

腕を曲げる動作ひとつをとっても、横から、斜め後ろから、
正面からとでは、見た時の形が全然違います。
ここで紹介したパターンの中でも、描きにくいと思うものはぜひ、
人にポーズをとってもらい観察してみてください。

Point* 1

頭の後ろで手を組む

肩から上に腕をあげた時に横に張り出すラインの難しさをよく観察して。

Point* 2

ポケットに手を入れる

左右の腕で奥行きがちょっと違うため、肘から下の長さに差が出るのがポイント。肩の骨も見逃さずに。

Point* 3

シャツを着て腕を曲げる

長袖のシャツを着て腕を曲げた時のシャツの引っ張られ方やしわの入り方もチェック。

Point* 4

首の後ろに手をあてる

上にあげた右手の肘から下が短く見える点、服のすそをつまむ左手のフォルムに気を付けて描きましょう。

Point* 5

自然に腕を伸ばす

スラッと伸びた腕のラインの美しさを捉えて。一本の線で描く楽しさを感じてください。

Point* 6

髪をかきあげる

あげた腕の肩から肘にかけての線が短いので気を付けましょう。このようにいろいろなポーズを見ていろいろな線を捉えて。

Point* 7

曲げた腕のライン

肘の骨から二の腕にかけてのラインは、とくに腕が美しく見える部分。このラインをきれいに描けるように、繰り返し練習を。

Leg

脚を描く

脚は体のラインがいちばんきれいに長く流れる部分。その流れをきちんと捉え、
その人が今にも動き出しそうに見えると、描いていても気持ちがよくなります。

動き、流れ、重心に気を付けて描く

私は脚を描くのが大好きです。いかにも絵が動き出しそうな体の流れに見せるために、脚のラインを長く引っ張って描くのが気持ちいいからです。モデルをクロッキーする時も「わぁ、きれいなライン！」と感動しながら描きます。そういう意味で、脚は私にとって楽しんで描けるパーツであり、私の作品の中でも見せ場かもしれません。

全身のバランスの中で脚をきれいに見せ、今にも動き出しそうに描くうえでポイントになるのは、描いた脚の重心がとれて見えるか、体の動きに合った脚の流れがつくれているか。また、脚自体の動きが的確につかめているか、といった点を押さえること。

ただ、初心者と中級以上の人では気を付けるポイントが異なります。初心者は、地面に足がちゃんと着いているように描いているか意識しましょう。

ファッションイラストレーターを目指す人はもちろん、中級以上のレベルの人は、ファッションやプロポーションがきれいに見えるように脚を表現しましょう。クロッキーの段階からそのようなデフォルメをすこしずつ取り入れてください。どんなに脚のきれいなプロのモデルでも、脚は実際のサイズ感のままに描くとバランスが悪く見えがちなパーツだからです(46P 参照)。私のようにイラストレーションの下絵として描くなら尚更、イラストレーションの仕上げのイメージを意識して描くようにしてみてください。

Check !

はねあげる

正面、つま先立ち

意外と難しい正面のラインはもちろん、脚の後ろからヒールの裏にかけてなど、普段は目にしないような部分も描けるように練習を。

Let's try!
描いてみよう

私のデッサンでは、モデルの脚の美しさをこれでもか、
と引き出すように描いています。
魅力を強調するように描くのがデフォルメというもの。
見たままの姿を自在に描けるようになった中級者以上は、トライしてみてください。

Point* 1

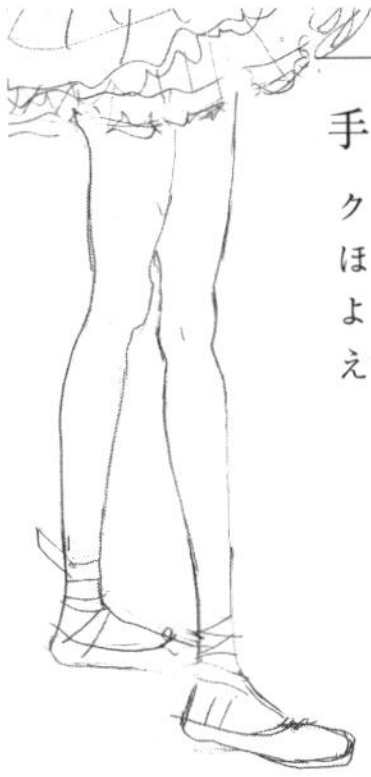

手前に突き出した脚

クロスした脚の奥になったほうが、着地点が手前の脚より上。脚の長さが短く見えています。

Point* 2

正面＋クロスした脚

つま先を立てた足の先と、奥の足の地面にべったり着けた部分に注目。この時の足の形やひざの形も的確に捉えて。

Point* 3

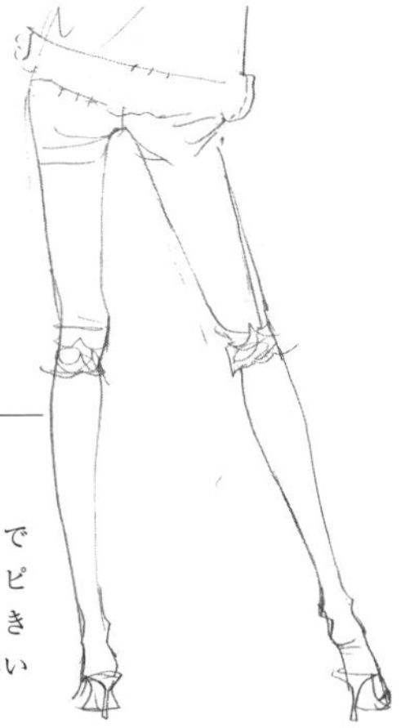

後ろ側

ふくらはぎからかかとまでのスラッとしたラインをピンヒールの足元に収束できるよう、ヒールの形や浮いたかかとにも注意。

Point* 4

脚を開いて座った姿

ちょっとだけ見える足の靴底、地面に伸びる脚の形がポイント。とくにひざとふくらはぎの立体感や長さの捉え方に気を付けて。

Point* 5

脚を開いて立つ姿

上半身が見えませんが、体がやや斜め前に傾いています。そのためにしっかり地面を踏みしめているのをラインと共に捉えたい。

Point* 6

折り曲げた脚

折り曲げたももとふくらはぎの重なり具合と、奥になる側の脚のフォルム、足の甲の描き方にも注意。

Point* 7

後ろに伸ばした脚

全体のラインの美しさに加え、アキレス腱の筋からヒールにかけてのフォルム（とくにヒールの裏）をきちんと描きましょう。

Point* 8

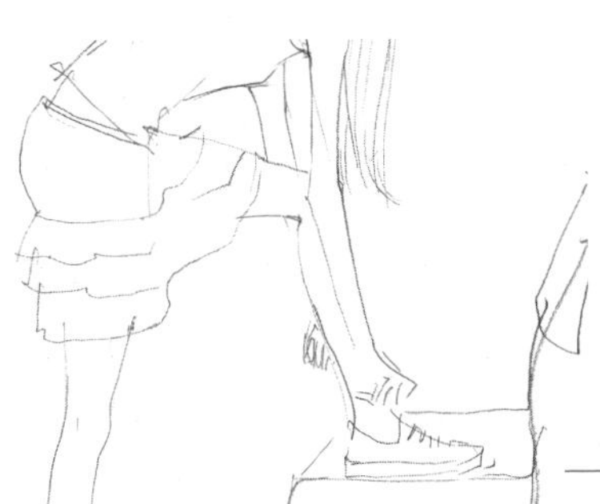

スニーカーをはく姿

乗せた足と椅子のサイズ比や位置関係が不自然にならないよう、全体を描く中でポーズを描いて。

Foot and Heel

足、かかと、ヒールを描く

靴を上手に描けることはすごく大切。靴だけ、あらゆるアングルから描く練習をしてもいいほどです。日頃からたくさん練習して、描ける靴のレパートリーを増やしましょう。

靴が描ければ、絵の完成度があがる

ファッションを描くうえでいちばんのポイントは「靴」。そう思うほど、靴の表情を豊かに描き分けられることは大切です。写真のように正面から見たサンダルのつま先、後ろから見たミュールのヒールなど、シンプルに見えて、描くのは難しいもの。でも、これが上手に描けると、全体がおしゃれに見えてきます。

思い描く靴のイメージにとらわれて、靴を横から見たフォルムでしかすぐには描けない人もいますが、仕事などで、足の正面つま先や、ヒールなど、難しい靴の形を描くことになるかもしれません。そんな時、それまで見たことがなかったり描いたことがないと、引き出しがないためになかなか線を思い描けず、表現に苦しむことになります。

ですから、まずは日頃からおしゃれな靴をたくさん観察しておくこと。そしてできればそれをあらゆるアングルから描けるように練習しておきたいものです。素足もまた同様で、いろいろなアングルから描く練習をしておきましょう。はじめてクロッキーする人の中には、モデルの足の繊細さをなかなかつかめない人がいます。ただ形を捉えて輪郭線を描くだけでなく、女性の身体の繊細さ、軽やかさ、柔らかさ、おしゃれ感なども表現できるようになれば上級者。柔らかさを感じるなら、それはどのラインから生まれるのか。それを描き分けるにはどうしたらいいかなど、描き続けることで新たな課題も見えてくるのです。

Check!

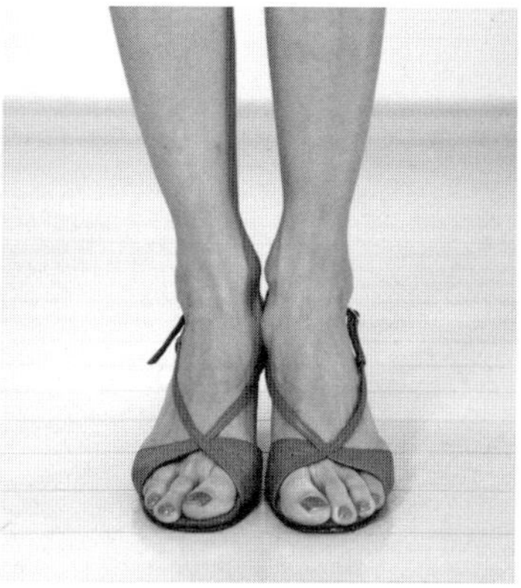

正面から見た足

後ろから見た足

足の指先や、ちらっと見える靴底、ミュールのヒールなど、繊細なフォルムをきれいに描いて。ゴツゴツ感を出さないよう注意。

Let's try!
描いてみよう

ここで紹介するのは、これまでに描いた靴のほんの一例です。
本書で紹介した他のデッサンや墨のイラストレーション作品も見て、
靴をどう描いているかチェックしてください。
そして自分でもたくさん実物を見て、描いてみてください。

Point* 1

サンダル／横＋正面

足の正面は立体感を出すのが難しいアングル。足首周辺のフォルムを的確に。ヒールは見えなくてもはいているように見せて。

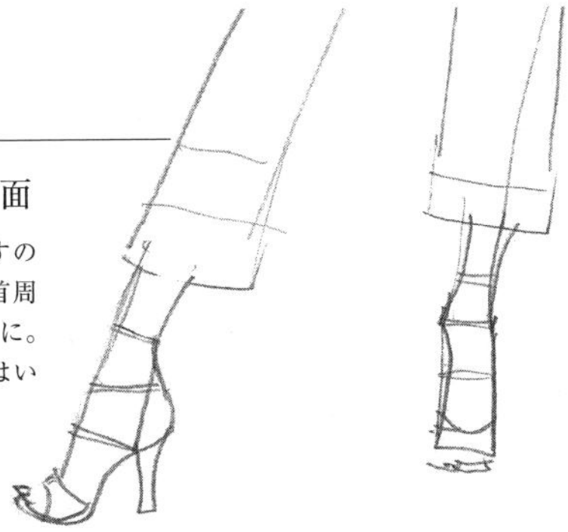

Point* 2

ブーツ／
正面でクロス

レザーの素材感をさりげないしわなどで表現。中に足があるのがわかるように描いて。

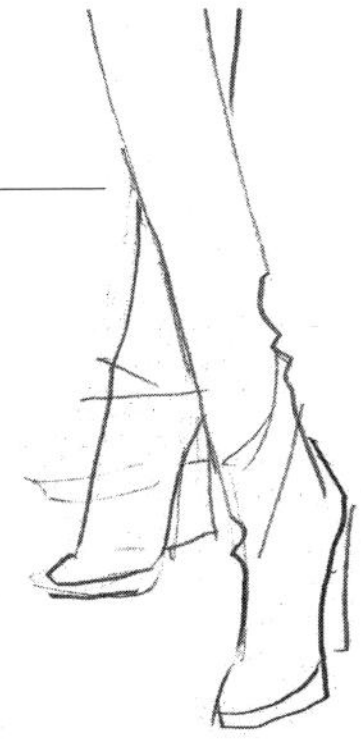

Point* 3

サンダル＋素足
／斜め横

サンダルの先にすこしだけ見える足の指とつめ先をミニマムな線で表現。指のバラけた感じもわかるように。

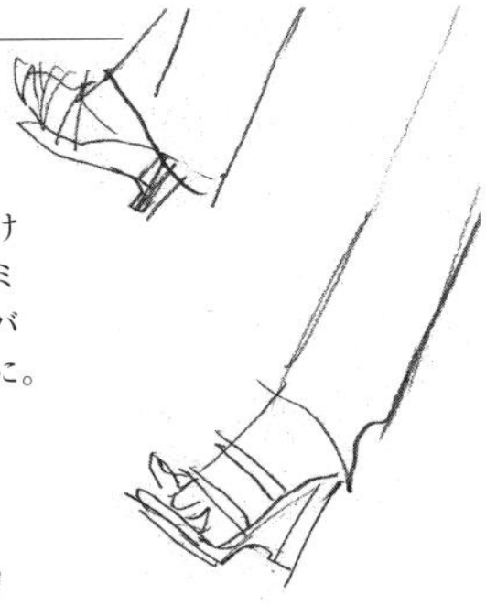

Point* 4

ブーツ／横＋斜め

しわのあるブーツの中にちゃんと脚があるのを感じさせて。ヒールの形もかっこよく。

Point* 5

サンダル＋素足
／かかと

ウェッジソールのかかとからはみ出たかかとのカーブ、そこからふくらはぎにかけての繊細なラインを観察して描いて。

Point* 6

サンダル／横

かかととヒールの形、ちらっと見える靴底をきれいに。靴底は見ないふりをせず、ちゃんと観察して描きましょう。

Point* 7

サンダル／後ろ姿

くるぶしまわりのフォルムをゴツゴツさせず、きゃしゃな感じを表現して。ちょっとだけ見える右足の甲の形にも注意。

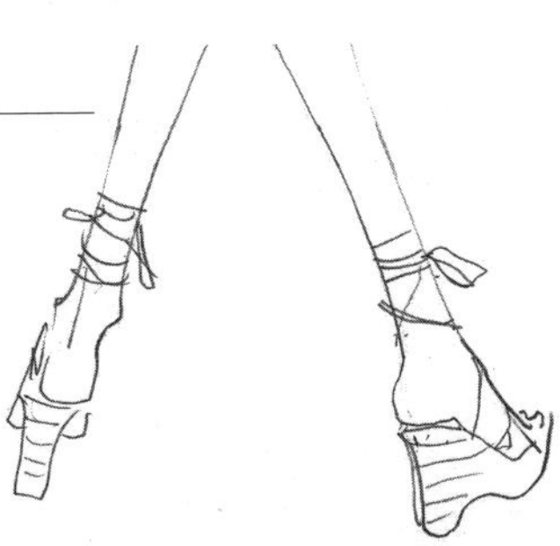

繊細さをどう表現するか

初心者は対象の形を捉えるのに精一杯なあまり、靴や足に限らず、モデルを岩でできたように描くことも。相手の特徴を感じながら、膝とふくらはぎの弾力の違いまで意識して描いてください。そこから描くセンスも生まれてくると思います。

Chapter*

04

The Essence of Fashion Illustration

ファッションイラストレーションを描く

人物の魅力をきれいな線で引き出せるようになったら、いよいよイラストレーションに挑戦！
自分のイメージをなるべくシンプルな美しい線で描き、自分のスタイルを見つけていきましょう。

Essence of Fashion Illustration

おしゃれ感のあるイラストレーションを描くには

デッサンが上手に描けることと、イラストレーションが上手に描けることは別。
魅力的なファッションイラストレーションを描くうえで心がけたいポイントとは。

おしゃれ感のつくり方

ファッションイラストレーションを描くためには、ファッションをおしゃれに描けなければなりません。では、「おしゃれな感じ」ってどう表現すればいいのでしょう。人それぞれの価値観によって様々なおしゃれ感がありますが、私が考えるおしゃれな表現は、「過剰にならないこと」「整理されていること」「バランスがとれていること」「抜け感があること」という言葉で言い換えられます。たとえば、私はいかに少ない線でリファインされた絵を描けるかを目指してきたので、いつも可能な限り線をけずり、必要な線だけを残すようにしています。余分なものを付けず、省略するぐらいの思い切りのよさを発揮したり。輪郭線も、何も描かなくても線があるように描くとか、描いている瞬間の勢いや気持ちよさを優先して、想像できる余韻を残して絵をストップさせることも。やめどころを見極めることが大切なのです。とくに線画メインのスタイルで描きたいなら、描き込み過ぎずにおしゃれな軽みを表現してほしいですね。いちど徹底的に描き込んでみたうえで、どこまで引き算していけるかを試してみるとよいでしょう。

ただし、自分がどんな顔や体の表情に魅力を感じ、それをどう作品の中で表現したいのかを追求することは、おしゃれ感を出す以前に重要なこと。ぜひ、実際に街へ出たり、いろいろなものを見たりして自分の「こう描きたい！」を見つけてください。

Point* 1

チャーミングな顔立ち

美しい顔、かわいい顔、ファニーフェイス、etc…。実物でなくても、映画や写真集、雑誌などで、「こんな顔立ちが好き！」「この顔のこのパーツが魅力的！」「この表情を絵にしたい！」と思える顔のイメージを持っておくこと。それを基準に、自分らしい「チャーミングな顔」をどう表現するか、追求しましょう。

Point* 2

動きのあるヘアスタイル

どんなスタイルの絵を描きたいかにもよりますが、私のイラストレーションのスタイルでは、髪の毛全体がぺたっと固まって見えない、さらりとした動きのあるヘアスタイルを描くようにしています。ロングヘアでもカールヘアでも、どこかしらに動きを感じさせる流れをつくるのがポイントです。

Point* 3

しなやかな指先や手の動き

女の子らしい指先やポージング、繊細な肘まわりや手首を表現するようにすると、絵全体にも魅力が生まれるように思います。デッサンで手や指先のフォルムを捉え、よりしなやかで魅力的な指先を描けるようになったら、さらにデフォルメをしたり、かわいいアクセサリーで強調しても。

Point* 4

脚や靴を魅力的に描く

ファッションイラストレーションを魅力的に見せる最大のポイントともいえるのが、脚と靴をきれいに、チャーミングに描くこと。脚は体全体の線の流れをつくるので、きれいなラインをとっていること。靴は様々なヒールを描き分けて、かわいいつま先やかかとの形をつくることがポイント。

Point* 5

素材感をさりげなく表現

素材感はしっかり描き込み過ぎず、描きたい絵のタッチの中でどう表現するかがポイント。デザイン画ではどちらかというと洋服が主役ですが、イラストレーションでは人物のほうがやや引き立つほうが絵が魅力的に。服の素材も的確でありながらさりげなく人物を引き立たせてほしいと思います。

Deformation of Body

デッサンからイラストレーションへ

オリジナル作品を描くうえでは、下絵ラフやその前段階でデッサンを描くのに「見たまま」「ありのまま」はNGです。ここではデフォルメについてお話しします。

身体のデフォルメ

すでに自分の絵のスタイルがある人、描く方向性が見えてきた人は、デッサンする時も自分の絵にほしいスタイルを意識して描くようにすれば、そのまま作品の下絵として活用できます。この時、デッサンの完成度やリアルに描くという発想はいったん忘れて、モデルのチャーミングな部分、「なんてきれい！」と感心した部分を凝縮させて描きましょう。リアルな状態を変えて描くことを「デフォルメ」（フランス語で「歪形」を意味。素材の自然な状態を変形すること）と言いますが、絵とは、要するにきれいな嘘。嘘をついていいのが絵の世界です。自分の作品世界に必要ないものはすべて外してデフォルメしてみましょう。

たとえば、全体のバランスをよく見せるためには、脚をすーっと長くする。足もやや大きめに描くと小顔に見え、きゃしゃな感じが表現できます。手足が小さいほうがかわいいのではないかと思って小さく描くと、逆に体が大きく見えてしまうことも。

指も、節を棒みたいに描くより、きれいにしなやかに描くほうがエレガント。爪先までおしゃれに見えるよう、気をつかって描いてほしいと思います。といっても、私の場合は、ちょんちょん、と点を付ける程度で表現することも多いのですが、それがあるのとないのとではおしゃれ感が違って見えたりします。ポイントは、描き込み過ぎないこと。自分なりにデフォルメのさじ加減を探っていってください。

Deformation Point* 1

自分の描きたい顔を描く

自分の描きたい顔立ちや表情、パーツのフォルムをイラストレーションに落とし込みましょう。ヘアメイクをするように、まつ毛やまゆ毛の表現を。まつ毛の形でどの時代かわかるぐらい描き分けられればベスト。

Deformation Point* 2

脚はすーっと長く

体全体の流れがきれいに見えるよう、見せたい体の向きや動きを強調するように、脚は長く描きましょう。手脚が細く長いほうが、洋服も顔まわりも引き立ちます。

Deformation Point* 3

手はやや大きく描くと小顔に見える

手は実際にも顔を隠せるぐらいの大きさ。手を小さく描くとかわいいかもしれないと思って小さく描き過ぎると、顔が大きく見えてしまいます。手はやや大きめを意識して。

Deformation Point* 4

足もやや大きめに描く

足も小さく描き過ぎると全体のバランスが不安定になります。やや大きめに描くことで、脚全体にメリハリが出てきます。靴もすてきに描きましょう。足の先まで気を配って。

Deformation Point* 5

しなやかで動きのあるポーズを

ボディ全体がしなやかに見えるよう、体の向きや流れに気を付けて。ただ立っているよりは、今にも動き出しそうに、命が宿っているように描きましょう。

Clothes and Silhouette

着衣の人を描くために～シルエットを感じよう～

ファッションを描く前に、自分でもたくさん服を着てみましょう。
実際に身に着けることで、シルエットが見えてくるはずです。

好きな服を着て鏡の前でポーズを

おしゃれなファッションを描けるようになるには、実際に服を着てみるのがいちばんです。私も、日常着るわけではない服でも、よく見に行っては試着していました。雑誌を見て服を研究するのも大好きなのですが、実際に着てみるのとでは大違い。絵を学びはじめたころは、モデルさんに着てもらうこともできないので、そうやって自分でショップで試着しては鏡の前でいろいろなアングルからチェックしたり、ポーズをとってシルエットを観察していました。当時は個性的な帽子もたくさんかぶってみたりしていましたね。今の仕事でも、自分でいろいろ着てつかんだ感覚は役に立っているような気がします。もし男の人なら、彼女や仲間に、描きたい服を着てもらってください。女の子なら、服を着れば、すぐに全身のバランスやシルエットを実感できることでしょう。

大切なのは、それを客観的に見てみること。あえて自分で着なくてもモデルさんに着てもらえれば、さらに客観的に見られてよいのですが、無理ならそのあたりは工夫すればいい。最初は難しいかもしれませんが、本書の 76 ～ 77P に掲載したポーズ集なども参考にいろいろポーズをとってみてください。鏡の前で一回転したり、服のすそを持ってみたりと、服が見せるいろいろな表情を探ってみましょう。動いた分だけ、服のシルエットは変わります。

たくさん試着してみよう

全身鏡の前で、シーズンごとの服を着てポーズをとってみてください。そして、服を身に着けた時の立体感やシルエット、ひだの現れ方、動いた時のシルエットの変化などをよく観察してみましょう。服の表情の変化を楽しんで。

Charming Face

チャーミングな顔を描こう

見る人に絵の魅力をパッと伝えるには、まずは顔を魅力的に描くこと。
ほかのパーツ以上に顔を描く練習には力を入れてください。

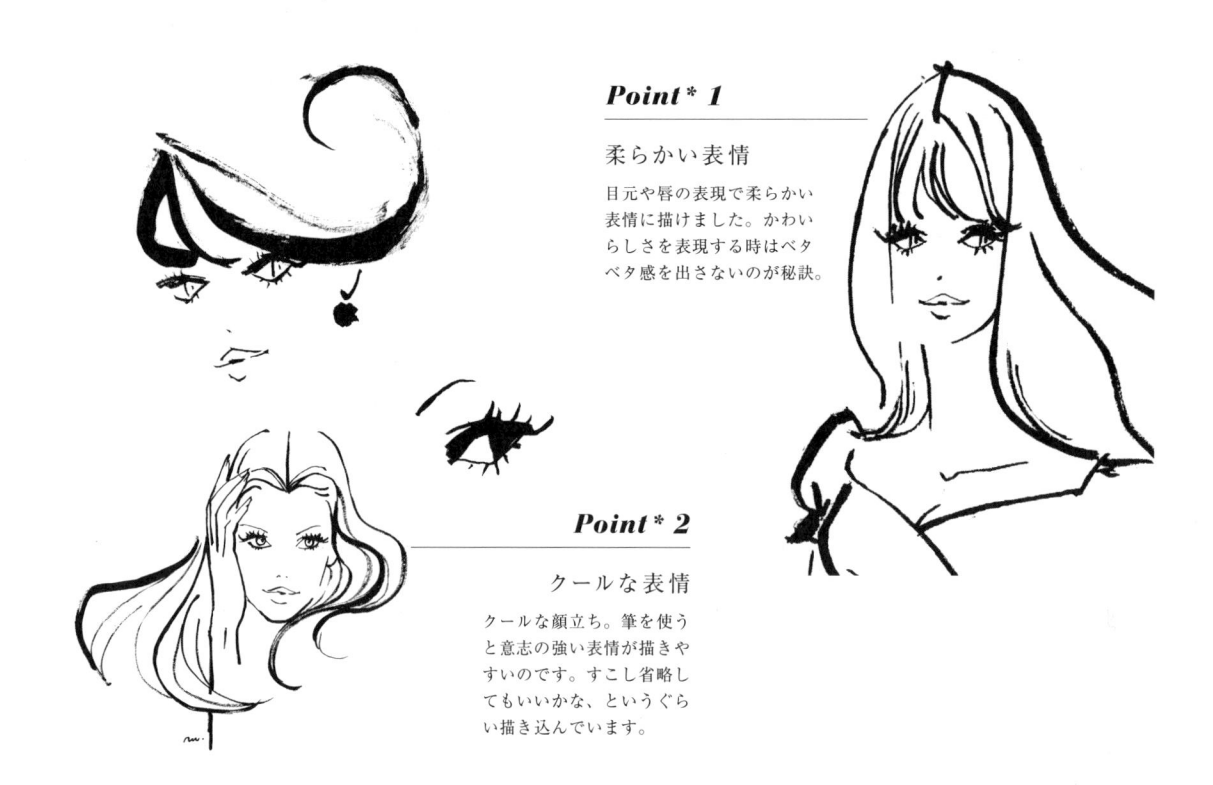

Point 1*

柔らかい表情

目元や唇の表現で柔らかい表情に描けました。かわいらしさを表現する時はベタベタ感を出さないのが秘訣。

Point 2*

クールな表情

クールな顔立ち。筆を使うと意志の強い表情が描きやすいのです。すこし省略してもいいかな、というぐらい描き込んでいます。

描きたい瞳や口元を研究して

イラストレーションをパッと目にした時に、「すてき！」と思ってもらうためには、顔がチャーミングに描けていることがとても大切。様々なものを見て、自分にとって魅力的な瞳や目鼻立ちを日頃から研究し、どう描けばよりチャーミングになるのか表現の工夫をしていきましょう。

ただし、長年同じスタイルで描いているうちに、描き方の好みが変わることもあるでしょう。その時は、すこしずつ新たな魅力を加えていけばいいのです。私の場合、以前は女の子の下まつ毛を描いていなかったのですが、ジェーン・バーキンの目に惹かれて下まつ毛も描くようになったり、ブリジット・バルドーの唇を見て、ちょっと半開きの唇を取り入れるようになったりしました。ぜひ、自分なりのスタイルでチャーミングな顔を描けるよう、工夫を重ねてみてください。

Point* 3

瞳の表現

フワッとした表情のポイントは、瞳を塗りつぶさず軽やかさを出したり、おくれ毛を描くなど毛先でも軽みを表現すること。

Point* 4

横顔で閉じた目

横から見た鼻から口、あごにかけてのラインがかわいく見えるよう、ラインを計算。閉じた上まぶたのアングルやまつ毛もチェック！

Point* 5

髪型とのバランス

ストレートでもパーマでも、髪の毛の線が多い時は顔の輪郭線を省略してバランスをとることが。自分のスタイルしだいで工夫して。

墨で顔を描くメイキング

目の輪郭から描き、まつ毛を描いたら瞳を塗って整えます。顔の輪郭は省略。線をここまでそぎ落としても顔かたちを想像してもらえるよう、全体のバランスにも注意。

Detail from Head to Toe

ディテールを描く

ディテールが上手に描けると全体がおしゃれに見えたり引き締まったりします。
とくにヘアスタイルや手足、小物や素材感の表現は工夫を重ねていきましょう。

Hairstyle

動きのあるヘアスタイルを描く

さりげない動きのあるおしゃれな髪を描くのは、なかなか難しいこと。
雰囲気のある髪型にするには、どう描けばいいのでしょう。

Point* 1

かたまりで描かない

何気ないストレートのロングヘアでも、毛の流れやはねに動きがあるもの。そこを魅力的に描くようにして。

Point* 2

無造作感をつくる

かすれの表現を工夫すれば、髪の軽やかさや風に吹かれている感じが表現できます。

人の髪の毛をよく観察して

チャーミングな顔を際立たせるようなすてきなヘアスタイルが描けると、より人物全体の雰囲気がアップして服も引き立ち、印象的なファッションイラストレーションになります。

すてきなヘアスタイルを描く秘訣は、かたまりで描かないこと。ロングヘアが風になびいている姿、ふわっとふくらんだボブヘア、くるんとカールしたブロンドヘア、どこか一部はねた部分のあるショートヘアなど、輪郭線だけで固定したヘアスタイルにせず、動きをつくるのがポイントです。

また、後頭部の形がフラットにならないように気をつけましょう。ヘアスタイルと後頭部がかっこよく描けると、絵全体がキマリます。写真で見るとこうした部分はよく見えなかったり、かたまりに見えがち。ヘアスタイルや頭の形がかっこいい人がいたら、ぜひ描かせてもらいましょう。

Point 3*

墨ベタを生かす

服とのバランスで、髪が黒いほうが引き締まる、かっこよくなる、という時は髪を黒く塗ります。

Point 4*

軽やかさの表現

プラチナブロンドなど明るい髪色、また茶髪や黒髪でも、軽やかに見せたい時は線だけで表現します。

カールヘアとストレートヘアを描く

縦のラインから描きましょう。やや筆を寝かせてボリュームを出し、そのまま毛先を引っ張りあげるようにしてカール部分を描きます。墨を足さずに筆先を引っ張り、かすれをつくって。

Hand's Expression

指のいろいろな表情を描き分ける

電話をかけている手や料理する手など、何かしている手や指先をたくさん描いてみましょう。
顔はかわいいのに添えた手が残念、ということにならないように！

Point* 1

爪の先も描いて、
エレガントな表情に

Point* 2

何気ない日常の手の
動きやしぐさを表現して

Point* 3

花やカップをつかむ手を
的確に、美しく描く

Point* 4

ちょっとしたしぐさも
品を感じさせるように

Point* 5

ただ置かれた手が
意外と難しいので注意

マニキュアを塗った指先を描く

これは自分の手を見ながら、マニキュアを塗ったエレガントな手になるよう、デフォルメして描いています。実際の指よりもすっきり細く長く描き、指の節は省略してしなやかに。

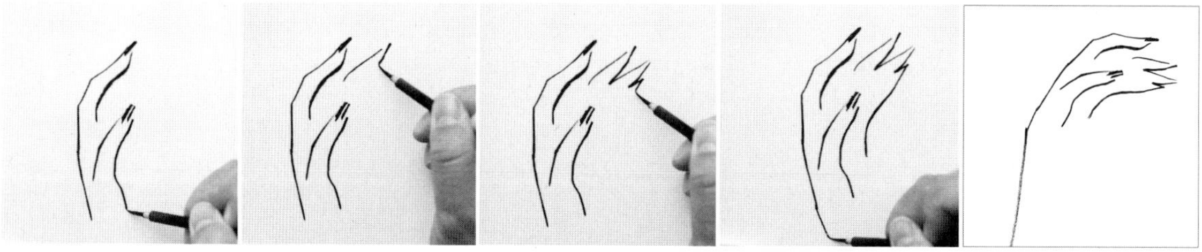

Stylish Shoes

おしゃれな足もとを描く

脚がきれいに描けているだけでなく、脚の先にある靴がおしゃれだと絵がキマります。
靴の細かいディテールも大切ですが、脚とどれだけ調和して描けるかを、工夫して表現してください。

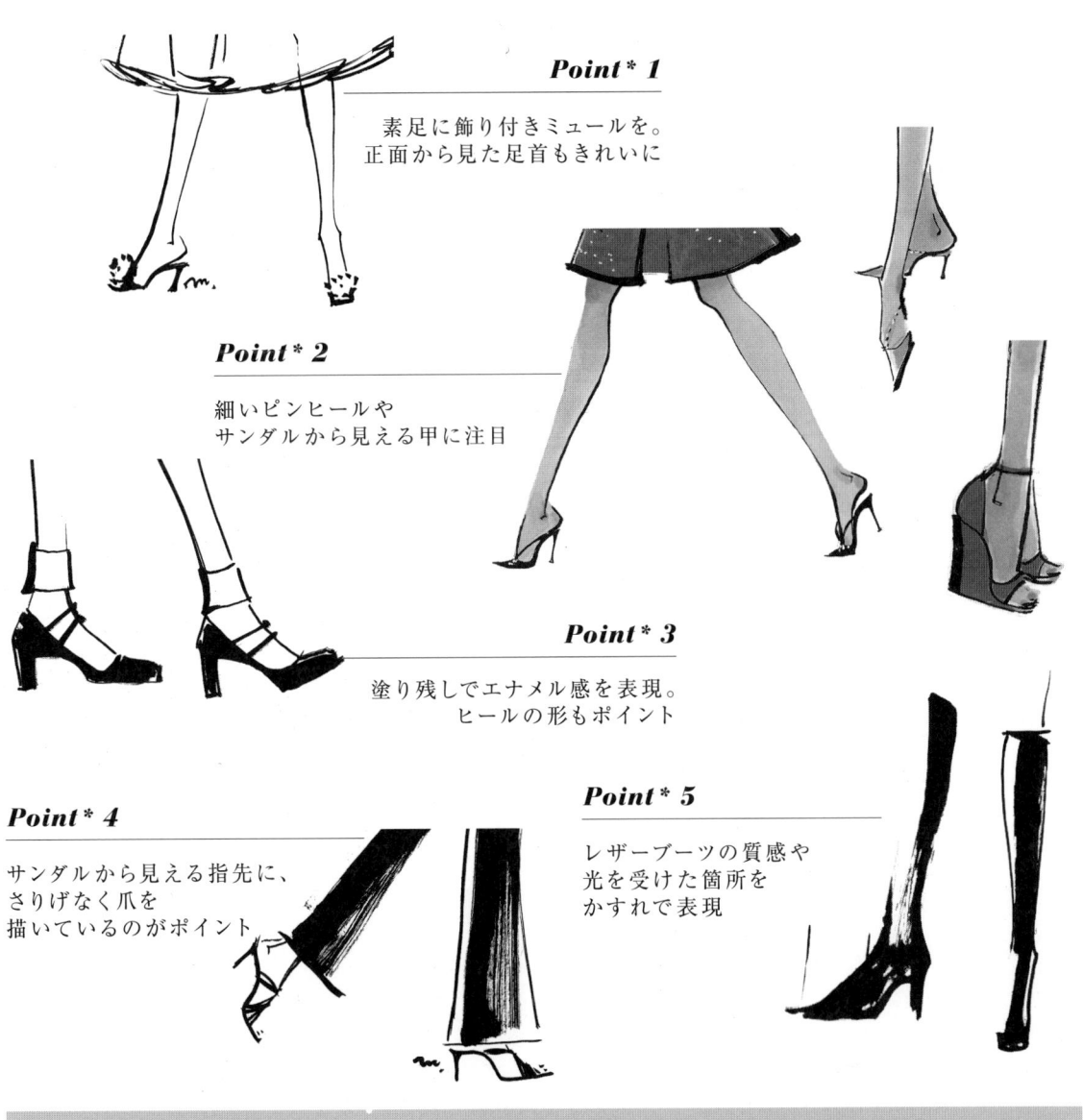

Point* 1

素足に飾り付きミュールを。
正面から見た足首もきれいに

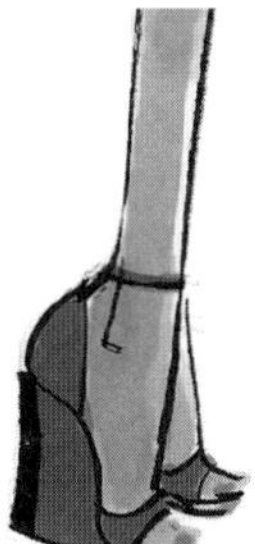

Point* 2

細いピンヒールや
サンダルから見える甲に注目

Point* 3

塗り残しでエナメル感を表現。
ヒールの形もポイント

Point* 4

サンダルから見える指先に、
さりげなく爪を
描いているのがポイント

Point* 5

レザーブーツの質感や
光を受けた箇所を
かすれで表現

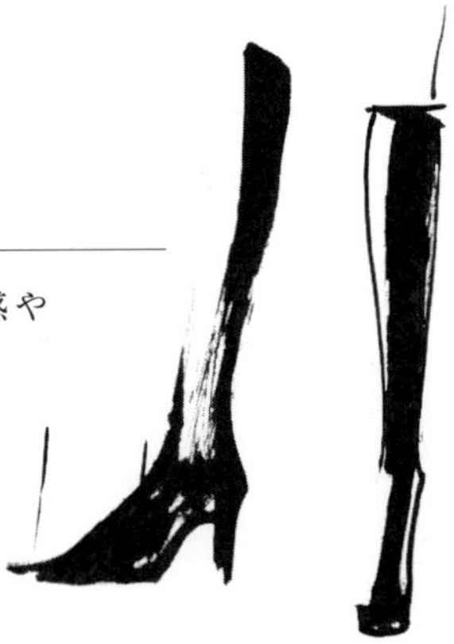

エナメルの靴を描く

足からラインの延長線上に靴がなじむよう、脚から靴底までのシルエットをセットで描きます。靴の光沢感やフォルムをどう表現するか、墨の塗り加減や筆使いを工夫してみて。

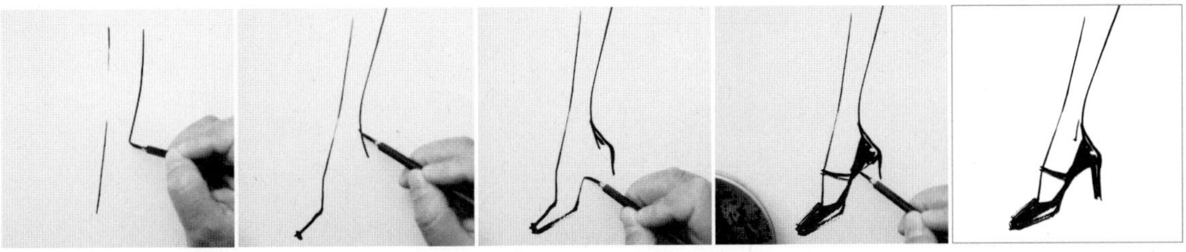

Accessory

アクセサリーと小物の表現

アクセサリーは、人と服を引き立てるものなので、肌になじむようなさりげない表現がおしゃれ。
模様のあるものは模様ばかり主張せず、全体のバランスでどこまで省略できるかを考えて。

Point* 1

バッグのチェーンを
一部省略。右の香水瓶
はもっと線を省略しても

Point* 2

小物だけなので線がしっかりめ。
人と合わせる時は線をミニマムに

Point* 3

バラのブーケは
すべての花を描かず、
一部省略して OK

Point* 4

ジュエリーは
人と組み合わせる時は
もっとさりげなく描いて

粒をランダムに描いて
パールのアクセサリー
に見えるように

Point* 5

かすれで質感を
描き分けて。
墨の線はこのぐらいで充分に
伝わります

Point* 6

帽子は横線一本で
表現することも。
アクセサリーを
身に着けた状態で
描く時はこの程度に

帽子とアクセサリーを身に着けた人を描く

目元と鼻、口元までを描いてから、帽子の縁を描きます。帽子はベタ塗りをして、リボンなどはかすれで表現。イヤリングとネックレスは存在感を出しつつ、あくまでさりげなく。

Material

素材感の表し方

服や小物のマテリアルはただ克明に描くのではなく、どう自分のタッチにするか考えて描いてください。点の打ち方でファーも描けるし、色の濃淡、かすれさせ具合で、ほかにも様々な素材を表現できます。

Point* 1

チュールの柔らかさを
かすれた線で表現

Point* 2

透けるレースは
線をかすれさせて

Point* 3

ファーのボリューム感は
ベタ塗りとかすれで出す

Point* 4

レザーブーツの
光沢感を
ベタ塗りと
１本の白いライン
で表現

Point* 5

ビーズを縫い付けた
デコ感はドットを細かく
つないで表現

ファーを身に着けた人を描く

最初に描いた顔を中心に、寝かせた筆で大きめの点を付けてファーに見立てていく。帽子も描いたら、腕から手、腰まわりまでをベタ塗りとかすれを併用して描く。

Situation

シチュエーションを描く

イラストレーションの仕事では、何かしている人を描くことがほとんど。
ですから、練習でも人の動作やシチュエーションを描いていきましょう。

日頃から、背景に使いたい
状況を描く練習をたくさん
しておきましょう

今にも動き出しそうな絵を描く

おしゃれな服を着て立っているだけでなく、誰かが１日の間にすることを考えて、そのシチュエーションを描く練習をしましょう。それも、今にも動き出しそうに、何をしているのか想像できるように描くことで、応用できる力を付けられます。私の場合はなるべくシンプルに、と女の子がいるだけの絵を描くことも多いのですが、それでもこれからデートに行くように見せるなど、工夫しています。

また、シチュエーションを描くようになると、人物に合わせる椅子や机などインテリア小物も描かなければならなくなるので、構成力、スタイリング力も必要になります。ベッドでくつろぐ人を描くなら、この人ならこんな部屋で暮らしていて、こんな雰囲気の服やクッションが似合うだろうな……などと、スタイリストになったつもりで様々なものを見て想像し、センスを磨きながら描いていきたいですね。

Point 1*

ベッドに座って電話

クッションの描き方でベッドが想像できるように

Point 2*

ソファで読書中に休憩

ゴージャスな家具で非日常感を表現

Point 3*

空港のロビーを歩く

カートを引っ張って歩いている姿を表現。後ろはさらっと

Point 4*

デザートタイムに紅茶を

テーブルサイドで椅子に座わり、紅茶を飲む姿を優雅に表現

Various Poses

サンプル・ポーズ集

前述（64P ～）のとおり、ポーズしだいで服のシルエットはすごく変わるので、
同じ服でも様々なポーズやアングル違いで描き分けると勉強になります。
いろいろな服を着て自分でポーズをとったり、身近な人に着てもらって
サンプルのようなポーズをとってもらい、よく観察して描いてみてください。

*Chapter**

05

The Making of Monochrome Illustrations

墨でイラストレーションを描く

この章では、本書のために描きおろしたモノクロ作品のメイキングシーンを公開。
墨一色でいかに表現していくか、描き分けの秘訣や実際の筆使いを解説します。

Basic Skill

墨で描くための基本スキル

墨の線でイラストレーションを仕上げるのに必要なのは、面相筆１本と墨汁のみ。
筆使いと塗り分け方を頭に入れたら、実際に筆を持ち、手で覚えていきましょう。

墨によるドローイング

１本の筆でいかに描き分けるかが私の作品づくりにおけるテーマのひとつ。ただし、同じ墨でも中間色の多い墨絵風ではなく、エッジの効いたメリハリやドライなタッチを目指しています。ぼかしは情感を表現したい時には合うかもしれませんが、私の場合はきっぱり潔く描きたいのであまり使いません。大好きなのは「かすれ」の表現。偶然性があり、自分でも調整しきれないおもしろさがいい。その意外性には、長年描いていても、発見があるほどです。

同じ筆でこれだけ多彩なラインを描くことが可能です。

面相筆１本で描き分けよう

面相筆

A 線を細く引く、細部の表現 ⟶

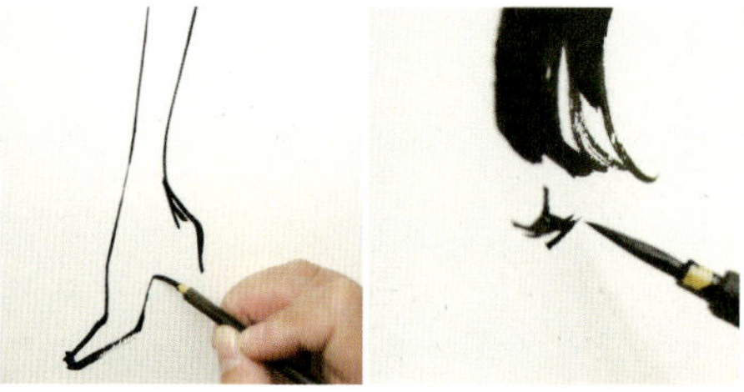

B 線を太く引く、強い線でメリハリをつくる ⟶

C ベタ塗りする、面をつくる ⟶

D かすれの表現、ラフな面や線をつくる ⟶

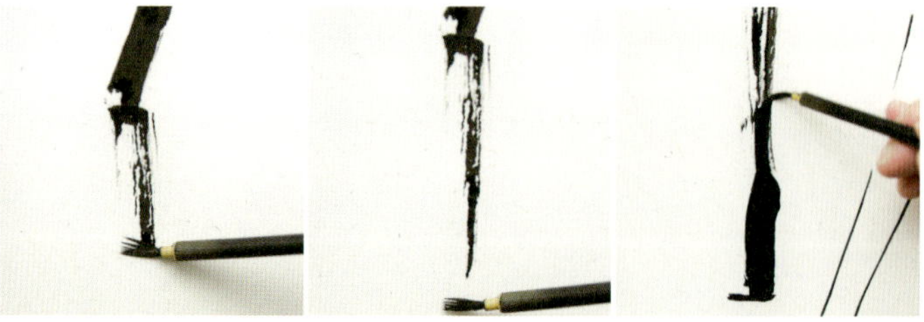

筆致の使い分けでメリハリのある仕上がりに

筆を立て毛先で描く極細線（A）、筆をやや寝かせ、力の加減でつくる強弱の表現（B）。筆を全部寝かせてつくるベタ（C）、墨を足さずにつくるかすれ（D）。この4つをベースに、作品にメリハリを出しましょう。

D

リボンの輪郭を描いたら、結び目の中心にあたる影の部分から外に向けて筆を引きずるようにしてかすれさせる。

C

光のあたる箇所以外はベタ塗りで。左の写真のように帽子のリボンだけを墨ベタにしても。

A

目、鼻、口は筆を立て、毛先で繊細に描き込みます。ただし鼻は点1つか2つ程度で表現。今回は輪郭線も省略。

B

首まわりにランダムなドットでネックレスを描いています。筆使いに強弱を付けることで立体感を感じさせます。

C

ドレスも基本的にベタ塗り。ただし色むらを付けたり光があたる向きに合わせてかすれを併用。

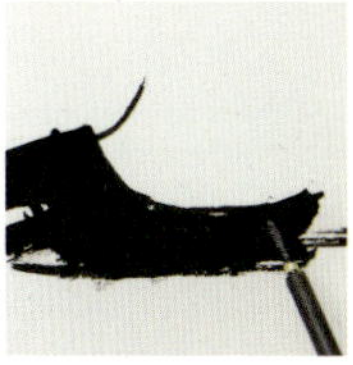

D

ドレスの下のほうをかすれさせました。かすれにより、下まで描かなくても続いている印象に。

Monochrome Illustration Making

モノクロ作品を仕上げる

A デッサンから／B 下絵から／C 写真から／D ゼロからと、
制作の条件やプロセスの異なる4作品のメイキングを紹介します。

Making A

デッサンをベースに仕上げる

「ファー付きのウールコートで小犬と散歩」

事前に描いたデッサンを生かした作品。仕上げながら、
もとのシンプルなコートをゴージャスに変えていきます。

1 デッサンを用意

デッサンを見てイメージを膨らませる。今回はショートコートの袖に注目し、「この折り返しにファーを付けよう」と方向性を決定。

2 別紙を重ねて描きはじめる

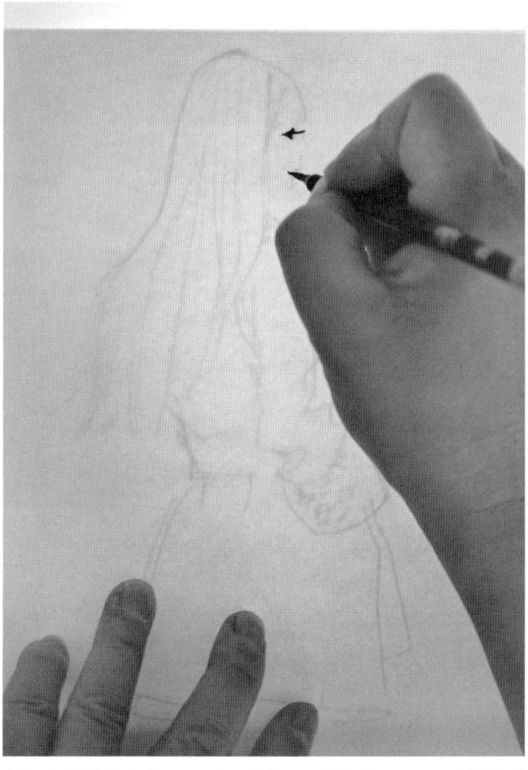

今回は下絵を描かず、デッサンを直にライトボックスへ。別紙を重ねてデッサンを透かしながら上から墨で描いていく。

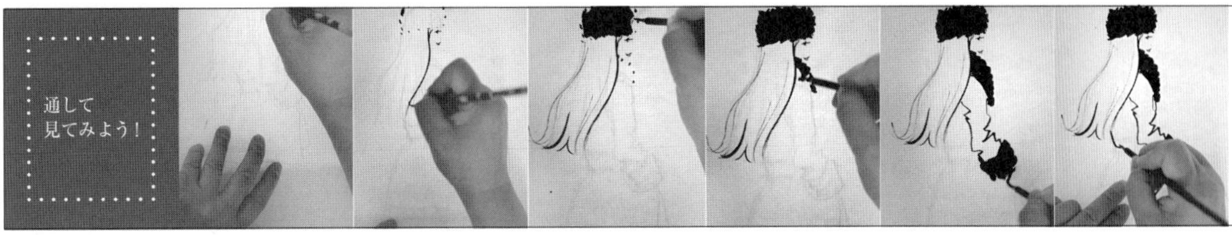

3 イメージをふくらませつつ墨で直接ドローイング

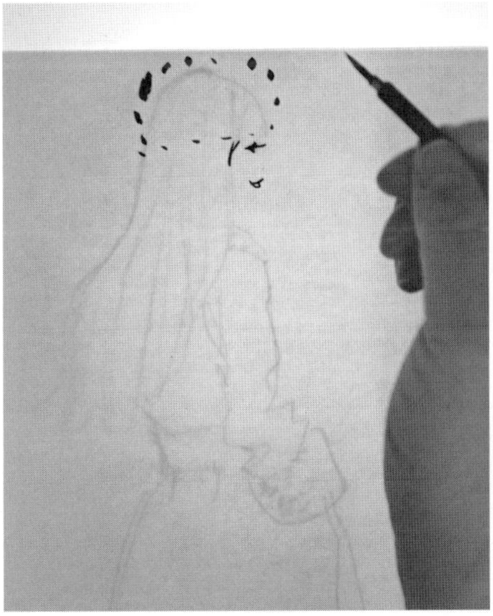

袖まわりとのコーディネイトを考え、ファーの帽子をスタイリング。胸元、コートの裾にもファーを描き足していく。

3で付けた点線のランダムなタッチを塗りつぶさないように帽子の表面を塗る。

4 ディテールを追加アレンジ

→

片脚ずつ脚のラインとファー付きブーツを描いてから、デッサンにはない左手を追加。人物の左右にボリュームを出すことで画面構成のバランスを整える。

finish

小犬とリードを描いて細部を整えれば完成！

Making B

下絵を作成してから描く
「浮き輪を抱えたリゾートウェアの女の子」

ジーンズ姿を描いたデッサンから構図だけを参照し、全く違う下絵（ラフ）を作成して仕上げました。デッサンを失敗したので後で修正していきます。皆さんも失敗を恐れず伸びやかに描きましょう。

ベースにするデッサン

1 デッサンから下絵を作成

デッサンをもとに髪型もファッションも全く別の下絵を作成。この下絵をベースに作品を仕上げていく。

ライトボックスでデッサンを透かして下絵を作成中。

2 別紙を重ねて描きはじめる

ライトボックスに1の下絵を置き、その上に別の紙を重ね、透けた線の上から描く。

最初に描くのは目、鼻、口。これがキマれば安心。

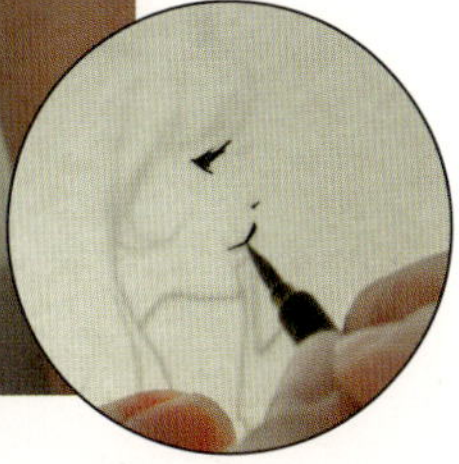

3 随所にメリハリをつけて描く

整えるのは最後だけでなく、その都度、バランスを見て太い線を補う。

通して
見てみよう！

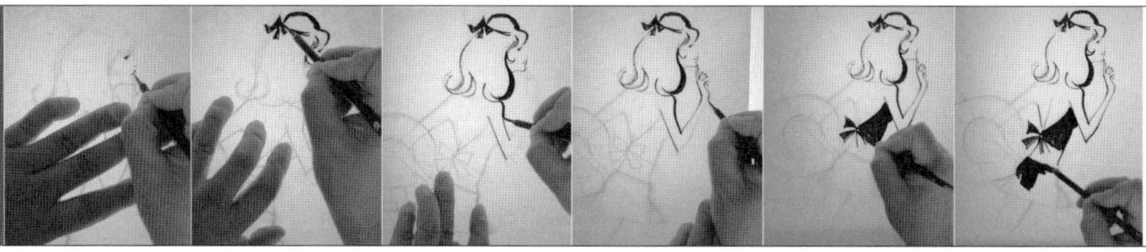

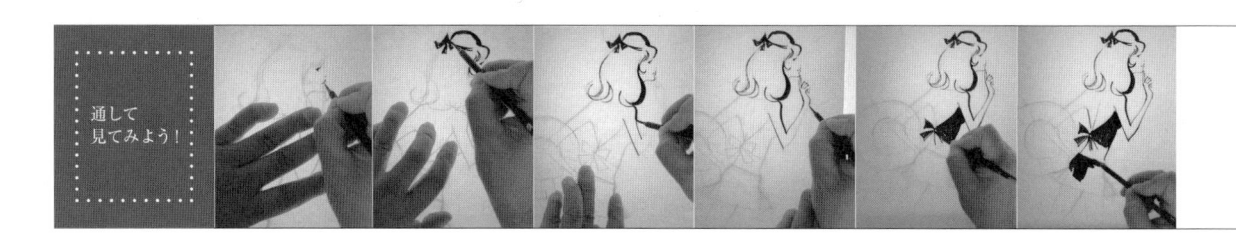

4 服を描く

全体に白っぽい絵の時は、服をベタ塗りするなどして墨のボリュームを増やし、画面を引き締める。

5 脚のラインを描く

左の脚から片方ずつ、脚のラインとサンダルを描いていく。

足首に巻いた紐、ウェッジソールまでを丁寧に。

6 光を受ける場所の線は省く

左脚の次は右脚を描く。いずれも、陽の光を受ける面のラインはすべて描かず、省略しながら。

7 浮き輪を描く

左の腕に浮き輪をかける。浮き輪の立体感が出るよう丸みの内側をベタ塗りに、外側をかすれさせるなど描き方を工夫。

手首にもアクセサリーを追加するなど、下絵は随時アレンジして。

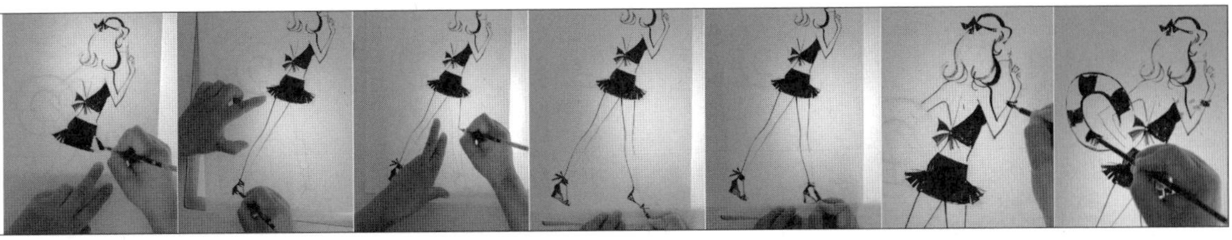

finish

浮き輪の栓を描き全体を整えれば完成！

Making C　写真をベースに下描きしないで仕上げる「ボーダー柄ニットの女の子」

本を見ているシチュエーションや女の子のリラックスした雰囲気、髪の毛のさらっとしたかわいらしさ、カジュアルさも表現。全体に細かい線だらけにしないよう、メリハリを付けたり省略したりしました。

ベースにする写真

写真：著者が所有する '60 ～ '70 年代の海外の雑誌より

1 顔まわりを描く

今回は、デッサンや下絵を作成せず、写真の印象を直に紙に描く。まず目、鼻、口の順に描き、前髪へ。

描きはじめは目元から。アイメイクの表現も工夫して。

2 髪から肩まわりを描く

髪の毛のつや感、さらりとした流れを表現したいので、1本ずつ毛の流れをつくるように線を引く。

毛先まで墨を足さずに筆先を引っ張るとかすれた線が引ける。

3 部分的にメリハリを付ける

後頭部に太い線を入れ、メリハリを。腕を含む上半身も描く。手前の肘のラインも気持ちよく描いて。

腕のラインも強弱を付けて。

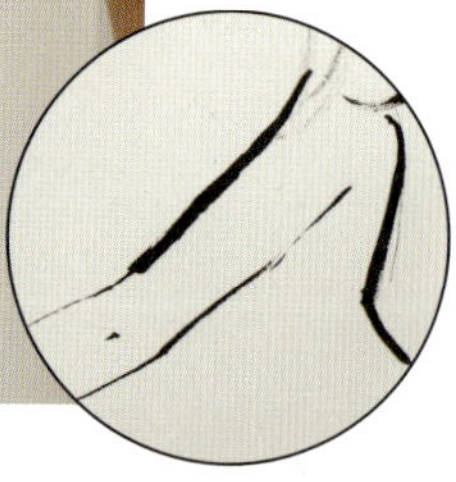

通して
見てみよう！

4 本と腰までのラインを描く

きゃしゃな手首のフォルムがわかるように表現。本を描いた後、肩からジーンズまでのラインを細い線で丁寧に描いて。

5 脚を描く

ジーンズのラインは、脚の向きなどに気を付けてすっきり描く。

6 ニットのボーダー柄を描く

ニットにボーダー柄を入れる。適度に色むらを残してニットの素材感を出すのがコツ。

7 画面の端に小犬を描き足す

右下の小犬は存在感が出過ぎない程度にさらっと描く。

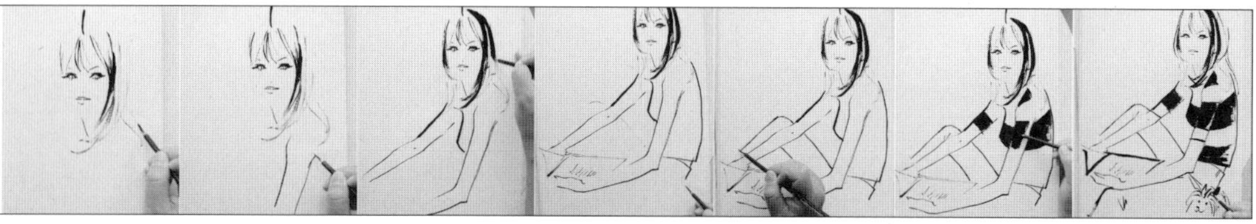

finish

ジーンズの下に影を付け、全体の白黒のバランスを見て墨の量を調整して仕上げる。

Making D　資料なし、下絵なしで仕上げる

「水玉模様の水着を着た女の子」

何も見ずに自分の頭の中の引き出しだけで描きました。画面からはみ出すぐらい元気のいい感じで描こうとした結果、即興で描くスピード感が出ています。修正液も画材として使いました。

1　顔まわりから首までを描く

目、鼻、口から描くのは一緒。鼻は点1つ、首のラインは線1本で表現。

2　肩と水着を描きはじめる

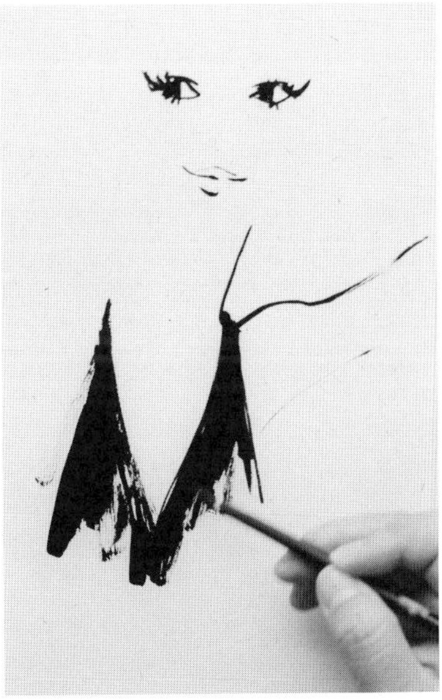

首のラインを起点に、腕と水着を描きはじめる。水着は後からドットを描くので墨ベタで塗る。

3　腕のラインを描く

両腕を描く。腕の下のラインは省略。水着をさらに塗り足す。あえて色むらを残す。

4　髪の毛を描き込む

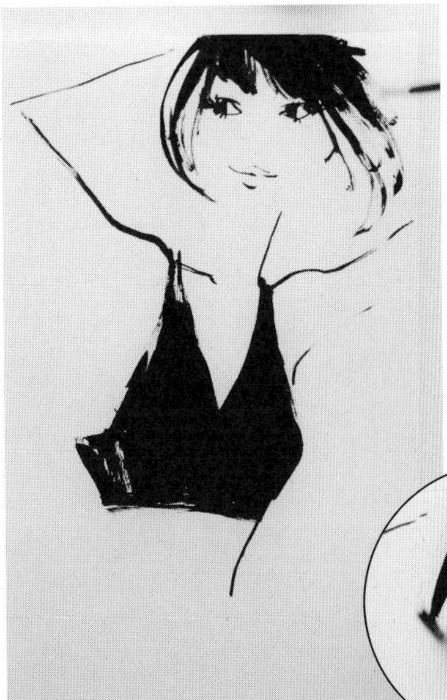

水着のシルエットを決めたら、髪型を描く。躍動感が出るよう、毛の流れをバラけさせたり、かすれさせたりと筆致に表情を付けて。

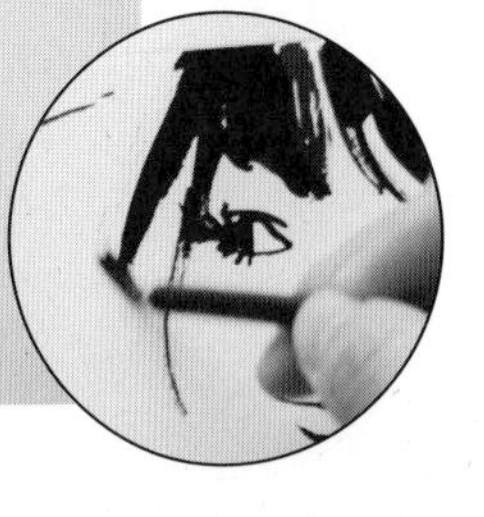

毛先のはねた印象を表現できるよう、1本1本描き込む。

通して
見てみよう！

5 背にリボンを描く

腕と水着のサイドを描き足し、リボンを描く起点に。

水着のトップの背に大きなリボンを描く。大胆なタッチでアイキャッチに。かすれるぐらいの勢いがあってOK。結び目から生じる影も描く。

6 ウエストから下を描く

筆を立て、細い線でウエストラインを描く。体のメリハリに合わせてややカーブを付けて。

7 髪型を整える

ざっくり描いてあった髪に墨ベタ面を増やして描き足し、ボリューム感をアップ。

8 修正液で模様を付ける

髪の墨ベタ面が完成したら、修正液で耳のあたりにイヤリングを描き、水着にドット模様を付ける。

イヤリングは墨ベタ面に映えるよう修正液をたっぷり使って描いて。

finish

ドット模様をバランスよく散らし終えたら、完成！

*Chapter**

06

The Making of Colour Illustrations

カラーイラストレーションを描く

イラストレーターとして打ち出すオリジナルスタイルはモノクロの絵であっても、プロであればカラーも描けるよう準備して、作風に幅を持ちたいもの。私は、墨との相性で着色スタイルを決めています。

Colour Expression

作品スタイルを生かすカラー表現を

イラストレーションを最終的にどんなカラーで見せるのかは各者の表現の方向性しだい。自分のスタイルに合う色表現を見つけるためにいろいろ試してみてください。

カラー表現のスタイル

マーカーで部分的に着色

マーカーでフルカラーに

マーカーのベタ塗りでポップに

色鉛筆でファンシーに

カラー表現を探るうえでは、自分の描きたいイメージと画材との相性がマッチすることが大切。私の場合は墨の線がベースなので、これを生かすことにポイントを置いています。水彩では色がにじみ、乾くのに時間がかかるので仕事上効率が悪い、色鉛筆も以前は使ったことがあるものの現在描いているスタイル画にはなじまない、などの理由から、最終的には発色が美しく速乾性があり、色がにじまないカラーマーカーに定着しました。

カラー作品を制作するための画材の選び方

1. 作品スタイルを生かす発色や質感

2. 印刷された時の仕上がりがいい

3. 画材そのものが使いやすい、乾くのを待たずに描ける

マーカーペンで着色する

同じマーカーでも、色数やニュアンスの違うメーカーのペンを併用するなど、いろいろ試す中で好みの色幅を見つけましょう。塗り方は、ふわっとした油性ペンの特徴を生かして淡い色を薄塗りすれば水彩のようなタッチに（96P 左・中）。ベタ塗りすればポップな表現も可能です（96P 右）。乾かないうちに色を重ねると色同士がなじみます。

●よく使う基本色

左から、修正ペン（無印良品）、パントンのトリアマーカー（肌＝169、489-T、486-T、髪＝121）、コピック（瞳＝BG45、髪＝YR31、B41、リボン＝FRV1、髪＝Y23）

注：パントンの色番号に対応した写真のトリアマーカーは旧仕様。現行品のニュートリアマーカーは、現在海外での販売のみ。製造元は、LETRASET。

1. 人物の肌から塗りはじめる

基本的に、いつも肌色から塗る。ベースを着色後、乾かないうちに別の色でチークなどほんのり赤みを差したい箇所を着色。

2. 1をなじませたら、髪を着色

1が乾かないうちに、肌全体に肌色を上塗りしてチークなどをなじませる。その後、イエロー系のペンで髪の毛を着色。

3. 髪の立体感を出す。瞳も着色

2が乾かないうちに、髪の立体感を出したい箇所をブルーで筋状に着色する。瞳も好みの色で着色。

4. 唇などディテールを塗る

肌色から浮かないよう、肌に使った色よりも濃度がやや高いぐらいのピンク色で唇を塗る。

5. 服、小物、模様の部分を塗る

リボンのほか、首から下（今回は省略）の服装の部分を着色。テキスタイルに模様があればそこも別の色で塗る。

finish

気になる箇所を
それぞれの色で整えて完了。

Colour Illustration Making

カラー作品を仕上げる

ここからは、実際に私が仕事でカラーイラストレーションを描く際、どんな方法で着色や仕上げ作業をしているのか、A～Cの3つの制作パターン6作品でご紹介します。

Making A

手作業 × 画像処理ソフト

「マリンルックの装い」

墨の線画と別に作成したカラーパターンをパソコンで合成するのは、最近よく行なう制作方法の1つ。ワンピース姿2パターンとパンツルックの後ろ姿を描きました。

Making A 作品 1

さわやかなワンピース姿の女の子を2パターンの色と柄で仕上げます。

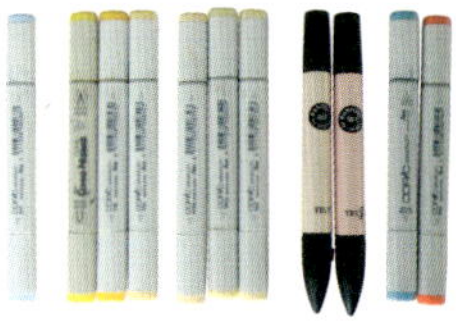

●今回使用した画材

左から、コピック（髪・柄 =B41、髪 =CM48、Y35、Y32、YR20、YR31、Y23）、パントンのトリアマーカー（肌 =489-T、169）、コピック（柄 =B14、服・靴 =R05）

1 墨で仕上げた絵をスキャン

モデル（101P）をデッサンし線画を描いたら、スキャンしてパソコンに取り込む。

取り込んだ線画は、画像処理ソフトのレイヤーの1つに。

2 1の線画を透かして着色

ライトボックスに線画と別紙を重ねて乗せ、それぞれのパーツに合わせて着色する。

3 肌→髪→服の順にベース部分を着色してから細部を塗る

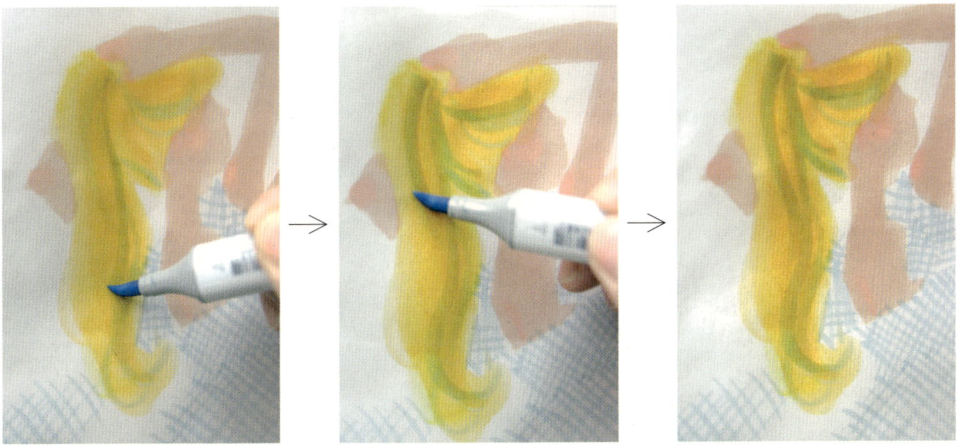

髪がフラットに見えないよう、濃い黄色やブルーを重ねて束感をつくる。１つの色が乾かないうちに次の色を塗るようにして、線をほどよくなじませるのがコツ。

4 服のディテールや靴など細部を描き足す

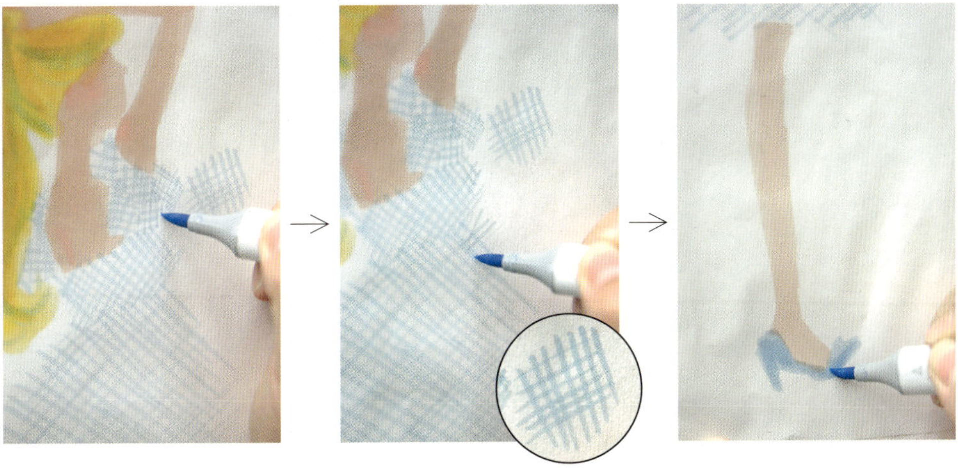

服のディテールを整えたり、靴を塗り足すほか、パソコン上で使えるよう、欄外にカラーパターンを描いておく。靴は塗り控えるより、はみ出すぐらいに描いて後から調整する。

5 スキャンする

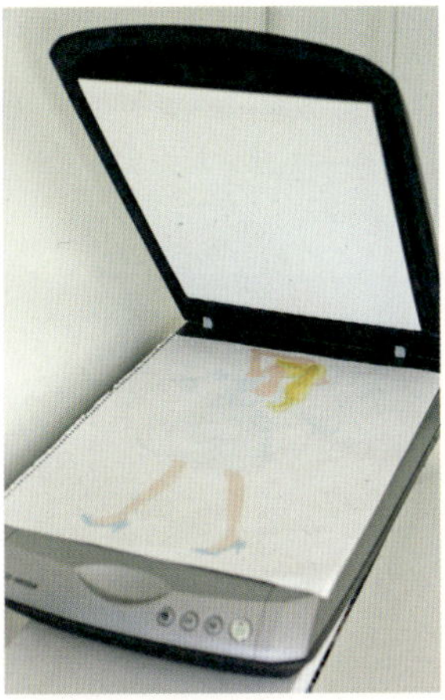

カラーパターンが完成したら、スキャンしてパソコンに取り込み、画像処理ソフトのレイヤーに。

パソコンを使った
便利なスキル・・・・*1*

描いた色の位置をずらす

画像処理ソフトに取り込んで線画と合わせた際、チークの位置がずれていたら、投げ縄ツールで囲み、コピーペーストですこしずつ移動すれば修正ができる。

6 線画とカラーのレイヤーを重ねる

パソコンに取り込んだ線画とカラーパターンのレイヤーを同時に表示して組み合わせる。黒い線を上にして「乗算」すると、下の色が透過される。

位置がずれていたら、上下左右に移動したり、少しずつ回転させるなどして合わせる。

7 ツールではみ出しを消す

画像処理ソフトの消しゴムツールで、線画のフレームからはみ出した色を消していく。このあと気になる色があれば色の濃度を変えたり、色を置き換えたりして補正する。

作品1の別パターンを作成

1 ベースの部分は右ページの完成イラストと同様に描き、洋服の柄をストライプに。

2 靴は今回はオレンジで着色。予備の柄パターンも欄外に描いておく。

3 スキャンしてパソコン上で線画のレイヤーと合わせる。

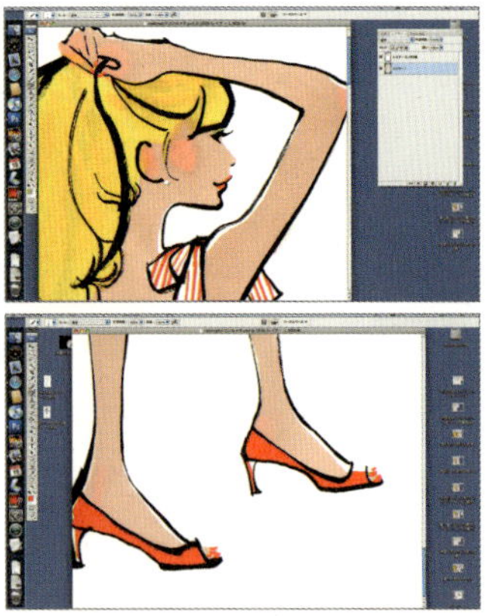

4 ラフに描いた箇所のはみ出しを消し、ペイントツールで色を補うなどディテールを整える。

5 欄外に描いた柄と服の柄を置き換えるなどして仕上げる。

パソコンを使った
便利なスキル・・・・***2***

別のカラーパターンを試す

線画をスキャンしてパソコンに取り込んでおけば、同じ絵を何枚も描き直さなくても、画像処理ソフトで違うカラーパターンを何通りも試せる。また、色調補正の機能で、明るさ、コントラスト、色の置き換え、特定色域の修正ができるのも便利。

Making A 作品 1

finish

パソコンを使った
便利なスキル・・・・3

欄外に描いた模様と変える

事前に欄外に描いておいたチェック模様をコピーして服にペースト。服の模様を簡単に置き換えることができる。

Check !

つやを入れたり、ポイントになる部分に色を加え、必要ならホワイトも使って仕上げる。

Making A 作品 2

同じ制作パターンで別の作品を仕上げてみました。
背中の美しさを目立たせるように着色します。

ベースになったデッサンと線画

左はもとのデッサン、右は墨で仕上げた線画。この線画を生かして、カラー作品に仕上げていく。

1 着色範囲を別紙にマーク

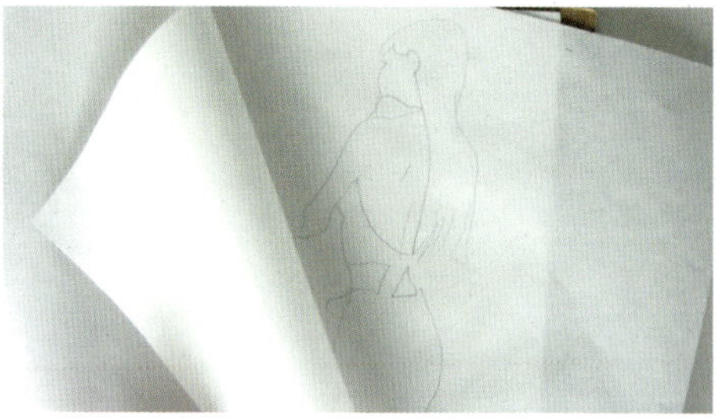

ライトボックス上でデッサンに別紙を重ね、着色範囲がわかるよう、ざっくりとトレース。

2 肌→肌の赤み→髪→髪の立体感、の順に着色

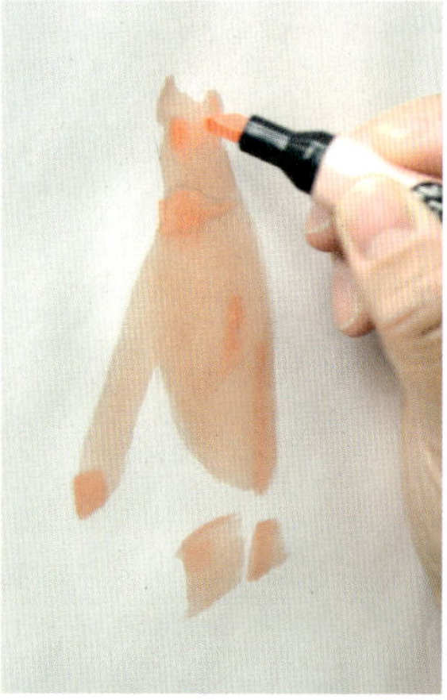

→

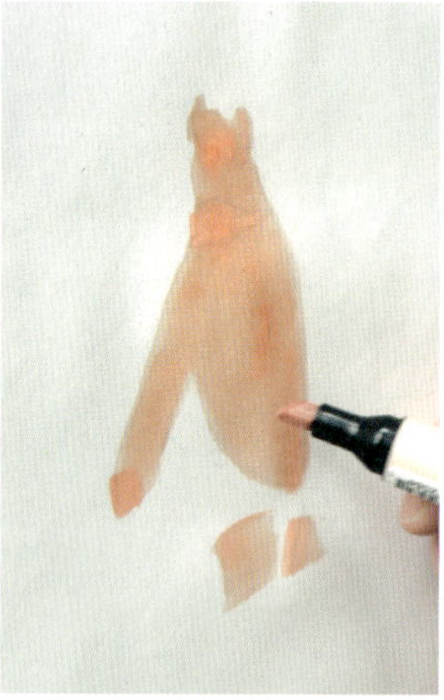

→

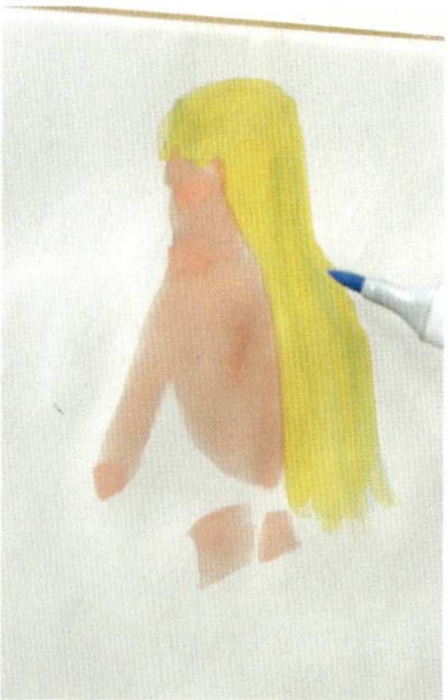

肌なら肌のベース色が乾かないうちに、赤みを付けたい箇所にポイント着色。すぐに上から肌色を上塗りしてなじませる。髪も同様に全体の着色後、立体感を出したい部分を別の色で着色する。

3 服から靴までを塗る

いずれも淡めの色で全体を塗ってから、立体感を出したい箇所にやや濃度の高い同系色を塗る。靴は大まかに塗り、パソコンに取り込んでから整える。

4 パソコンで整える

画像処理ソフトで開き、線画のレイヤーと重ねたら、はみ出しを消し、爪を描き足したり色の調整を。バランスで黒い線も少なくする。

Making A
作品
2

finish

Check !

別に描いておいた模様やリボンをコピーペースト。ベルトを塗り、パンツの色を調整したら完成。

Making B

フリーハンドで仕上げる
「フラワーモチーフのワンピース姿」

線画の作成から着色、完成まですべて手作業で仕上げる制作パターンです。
後から線を付ける時は、失敗しないよう、下絵を重ねて透かしながら仕上げます。

ベースにしたデッサン

●今回使用した画材

左から、修正ペン（無印良品）、パントンのトリアマーカー（肌＝169、489-T、486-T、髪＝121）、コピック（瞳＝BG45、髪＝YR31、B41、髪＝Y23）

1 デッサンをトレースして下絵を作成し、別紙を重ねて肌と髪の色を塗る

→

→

デッサンをトレースして、描く範囲と模様を付けるアタリ位置が分かる下絵を作成。下絵に別紙を重ねて、肌と髪の色を塗る。

2 服の柄を描き、ディテールを整える

→

→

アタリ位置を目安にして、バランスを見ながらブルーで花柄を描いていく。その間に淡い色でさらに花柄を描き込む。着色し終えたら、筆で輪郭や顔などを描く。

Making B
アレンジ

手描きで塗った後、さらにパソコンに取り込んで画像処理ソフトで調整すれば、はみ出しを消したり色のトーンや絵柄を変えたバージョンを作成することもできる。

Check!

Making B
finish

ライトボックスなどで下絵を透かし、カラーパターン上に直接、線画を描いて仕上げる。瞳の中は修正ペンで白く塗る。人物の周囲に飾りを描いて完成。

Making C ｜ 同じファッションを別の着色パターンで描き分ける
「ヘッドドレスを着けた女の子」

今回は、ヘッドドレスを着けてハンドバックを手にしたモデルを別のポーズで描いた絵を、
さらに、3パターンの異なる着色スタイルで描き分けました。

Making C 作品 1

1パターンめは、フルカラー。
ボディは一部をパソコン上で描きます。

着色する線画

●今回使用した画材

左から、修正ペン（無印良品）、パントンのトリアマーカー（肌＝169、489-T、486-T、 髪 ＝ 121）、コピック（瞳＝BG45、髪＝YR31、B41、髪＝Y23）

1 着色箇所のアタリを作成

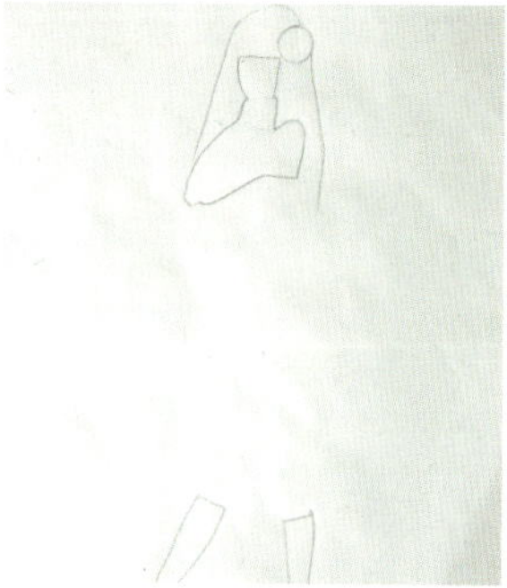

ライトボックスでデッサンをトレースして、着色箇所のアタリ位置を付けた下絵を作成。

2 肌（顔→手→脚→それぞれの赤み）と髪の毛を着色

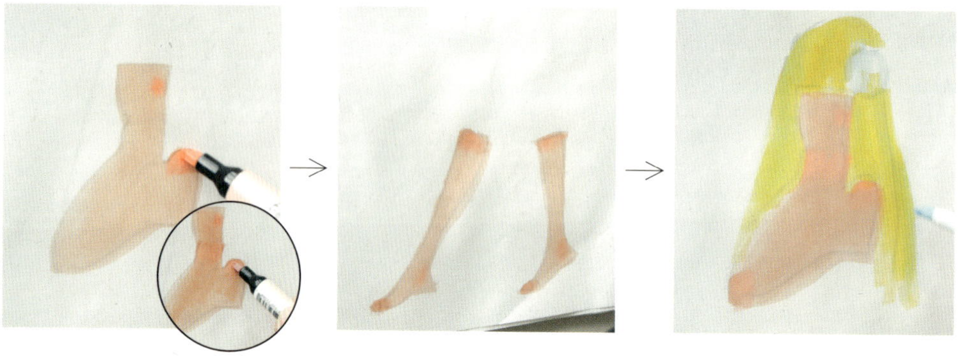

まず肌と髪の色を塗る。それぞれ、ベースが乾かないうちに別の色で赤みや髪の立体感を出し、ベースの肌色や髪の色で上塗りしてなじませる。

3 ヘッドドレスや服を着色

ベースにする色を大まかに塗る。あとはパソコンに取り込んでから画像処理ソフトで補正。

4 ディテールをパソコン上で着色し整える

色のはみ出しやずれを直したら、メイクの要領で細かい点を着色して整える。顔の輪郭を整えたり、アクセサリーへの着色も。

Making C 作品 **2**

墨で仕上げた線画のよさとカラーの華やかさの両方を楽しめるよう、
着色部分を絞り、色みを抑えたバージョンです。肌は部分塗りにするのがポイント。

着色する線画

1 下絵を作成し、別紙に着色

肌全体は塗らず、赤みをさしたい部分に色を置いていく感じで着色。油性インクの特性を生かし、淡い色を軽く置くように塗ると、そのままフワッと色が広がり肌のニュアンスが表現できる。

2 パソコンで線画のレイヤーと重ね、細部を整える

あらかじめパソコンに取り込んでおいた線画のレイヤーと重ね、位置のずれやはみ出しを直し、色調補正をかける。

Making C 作品 **3**

同じ服でショールをはおったモデルの後ろ姿をデッサン。
全てパソコン上で着色して仕上げました。

着色する線画

1 線画とカラーのレイヤーを重ね合わせる

2 ペイントツールで細部を着色

3 スキャンしたチュールを絵に重ねていく

肌から服まで全てをペイントツールなどで描く。線画のレイヤーと重ね、ディテールを調整。シルクっぽいつやを付けたり、部分的に線をけずって墨の割合を減らし、絵全体のバランスを整える。

Making C
作品
1

finish

Check!

最後にパソコンの画像処理ソフトの色調補正で全体の色のトーンやバランスを整えて仕上げる。

Making C
作品
2

finish

Check!

カラー作品でも、より線画のイメージに近いスッキリした軽みを表現したい時は、
このように肌を塗らずに仕上げていく。

Making C
作品
2
アレンジ

同じ絵をモノクロ線画だけで仕上げる場合は墨の量を増やして、フルカラーに仕上げる時は「作品１」と同様に仕上げる。

Making C
作品
3
アレンジ

もとのデッサンをベースに、このようにアクセサリーやグラスなどの小物を加えてシチュエーションイラストを描くことも。これからどう着色するか、それとも着色しないのか、考えるのも描く楽しみのひとつ。

Check!

Making C
作品
3
finish

もとの絵にチュールレースの素材感を足していき（チュールはスキャナで取り込む）、最後に墨のボリュームを減らして軽やかに仕上げる。

Change Colour of Original Illustration

［番外編］モノクロ作品をカラー作品に修正

いちどモノクロ作品として仕上げた絵をカラー作品として使いたい場合、
ただ上から着色するだけではバランスのとれた作品にはなりません。

ワンピースやヘアメイクをカラーに変えて仕上げる

カラーにする作品

●今回使用した画材

左から、パントンのトリアマーカー（121-T、151-T）、コピック（CM48、YR16、YR24、Y38、E13、E34、E33、E39、YR07、RV95）

これまでに描いたモノクロ作品をカラーに変更したいという場合、ただ上から着色すると墨が強く重たい絵になることがあります。そこで、仕上がりイメージを構想したら、カラーにしたい部分をトレースして着色し、パソコンに取り込んで線画のレイヤーと重ねてください。透かしてバランスを見てから墨の割合を減らし、色補正すれば、効率よくカラーバージョンの作品を制作できます。

1 モノクロ作品をトレースして着色する範囲のアタリを作成

→

ライトボックスで線画をトレースして、手で着色する大まかな位置のアタリを付けた下絵を作成。

2 下絵の枠内にカラーマーカーで着色

→

→

カラーマーカーペン数色を使って、ワンピースのドット柄を描き込む。それぞれ乾かないうちに別の色を重ねていくことで、絵柄や柔らかい生地のニュアンスを表現。

3 パソコンで線画のレイヤーと重ね、墨のボリュームを調整

ずれを直し、はみ出しをきれいに整える。

肩まわりの墨の線など、バランスを見て線を省く。

ペイントツールで髪の毛や顔まわりを着色。

finish

最後に再び墨のボリュームを調整し、色調の補正をして仕上げる。

Chapter*

07

Works & Studio of Miyuki Morimoto

森本美由紀の仕事・アトリエ紹介

これまでイラストレーターとして取り組んできた数々の仕事の中から、代表的なものを紹介。
大好きな雑誌や写真集など、思い入れのある資料であふれるアトリエも公開します。

Products/Stationery*

雑貨&ステーショナリー

Tシャツ

● MARK'S

シンプルながら女性らしいシルエットの半袖Tシャツに作品をプリント。キラキラ光るラメやラインストーン付き。

ポストカード

●オリジナル

上段・左2点は個人的につくったもの。右端と中段2点は個展のDM。下は書籍『Groovy Book Review』のDM。

マークス ダイアリー

● MARK'S / 2007、2008

写真左と右が「アポイントメントプランナー」'08年版、(右はスプリングダイアリー)中央は「マンスリーデザイナー」'07年版。

マグカップ

● MARK'S

これまでの作品から選りすぐり3点がグラフィカルなマグカップに。イエロー、ピンク、レッドの3色展開。

ハンカチーフ(4色)

●オリジナル

コミック作品「A GIRL FROM VENUS」のキャラクター「E.T.BABY」が歩く姿をプリントしたオリジナルハンカチーフ。

Monde de la mode
ディレクター×イラストレーターコラボ UT

● UNIQLO / 2010(限定販売・終了)

AD鷲見陽氏(アンテナグラフィックベース)とのコラボTシャツ。バックもおしゃれ。

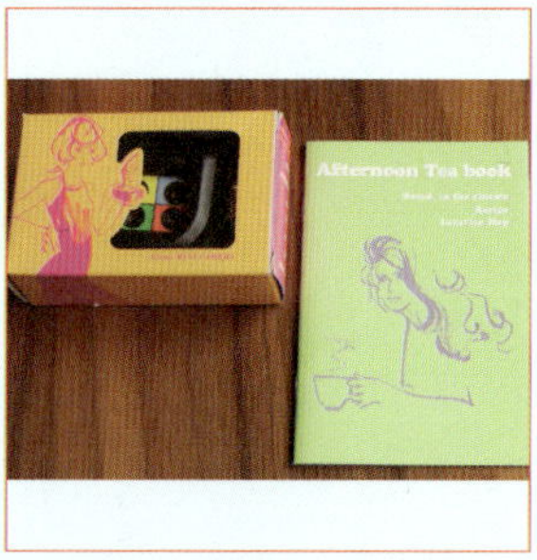

Afternoon Teaのイベント・ノベルティ

●株式会社サザビーリーグ / 2000

カメラにまつわる映画イベント『Les films Choisis par SAZABY Inc.』ノベルティの箱と小冊子に作品提供。

ノベルティ(ミラー)

●京都高島屋(株式会社 高島屋)

京都高島屋で開催された「ファッションウィークス」キャンペーンのノベルティ。マグカップやあぶらとり紙もつくりました。

© TOMY

「JeNny」ドールパッケージ

●ジル・スチュアート
(サンエー・インターナショナル)

着せ替え人形「JeNny」のパッケージイラストを描きました。(1997〜1998年頃)

手帳やノートなどのステーショナリーのほか、ノベルティへの作品提供も。
Tシャツはここで紹介した以外にも、ブランドものなどたくさん関わりました。

ポップチューン10周年記念プレート

● Poptune Tokyo ／ 2005

代官山にあった人気インテリア雑貨店ポップチューントーキョーと制作したコラボグッズ。S／M／Lの3サイズあり。

ステーショナリー類

● MARK'S
● LoFt（右上2点）／ 2004

MARK'Sでは、ほかにも様々な商品を展開。右上は、LoFt新宿店開店当時のノベルティ

リングノート・
The Look of Love

● MARK'S

作品集『The Look of Love』からのセレクトで展開するノートシリーズ。

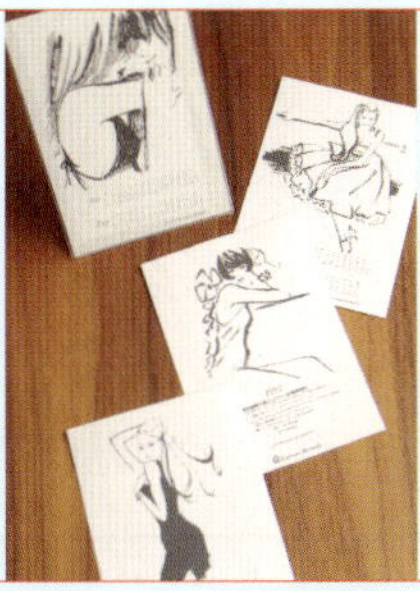

卓上カレンダー

● CENTURY RECORDS ／ 1993

CD『東京銀盤三選人シリーズ』販促用ノベルティ。私が収録曲をセレクトした1枚も含まれていました。(CDはすでに廃盤)

ノベルティ（マグカップ）

●京都高島屋（株式会社 高島屋）

京都高島屋で開催された「ファッションウィークス」のノベルティ。カップのうち1点は、オリジナルキャラのタマちゃん。

アートミックス・プランナー

● MARK'S ／ 2009、2010

2007年より表紙と巻頭ビジュアルなどに作品を提供してきた布製ダイアリーより。上段2点は2009年、下段は2010年版。

グラス（2個セット）

● café vivement dimanche ／ 2000 ～ 2001

対になる絵柄のグラスと2個セット。同時期に、コーヒーの角砂糖の包み紙や紙袋でもコラボしました。

LP型カレンダー

● MARK'S ／ 2004 ～ 2007

スクエアの大判カレンダー。LPジャケットのようなパッケージにカレンダーが入っているおしゃれなスタイルでした。

Monde de la mode
ディレクター×イラストレーターコラボ UT

● UNIQLO ／ 2010（限定販売・終了）

こちらも116P同様、鷲見氏とのコラボ作。前向きで自立した女性をイメージしたもの。

Books*

書籍

表紙カバーや中ページのビジュアルなどを
メインで担当した書籍を中心にご紹介します。

『système De La MODE』(左)
／『The Look of Love』(右)
●森本美由紀 著／ブルース・インターアクションズ／2000

共に作品集。装幀・左：山本万里子＋ムーグ（PHONIC)、右：The Graphic Service

『groovy book review』シリーズ／
『下北沢カタログ』最新改訂版(右から2番目)
●ブルース・インターアクションズ（左2冊と右端）／1999～2001、フリースタイル（右から2番目）／2007

好評シリーズ。装幀：The Graphic Service

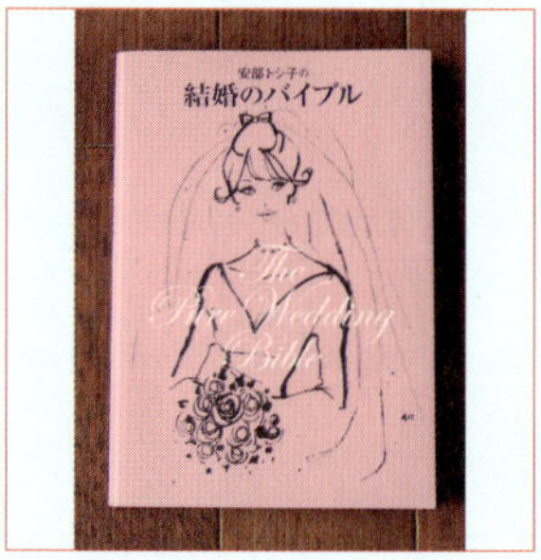

『安部トシ子の　結婚のバイブル』
●安部トシ子著／アシェット婦人画報社／2009

花嫁のための心のバイブル。表紙と中ページのイメージイラストを手がけました。
装幀：久保田浩樹

『ウエディング・シーズン』
●ダーシー・コスパー著／
佐々田雅子訳／集英社文庫／2006

私の仕事の中では珍しいフルカラーのカバーイラスト。装幀：文京図案室

『豆千代の着物ア・ラ・モード』
● LADY BIRD 小学館実用シリーズ／
豆千代 著／小学館／2004

表紙と中ページイラストを描きました。
AD：室伏香枝

『これは恋ではない―
小西康陽のコラム 1984 - 1996』
●小西康陽 著／幻冬舎／1996

小西氏の初コラム集。随所にイラスト収録。
装幀：コンテムポラリー・プロダクション

広告・etc...

広告やプロモーション関連の媒体でも作品を描いてきました。写真左は、三崎商事が扱っていたファッションブランド、Spuntinoの雑誌広告（2000年頃）。写真中央は、ジル・スチュアート（サンエー・インターナショナル）が扱っていたドールシリーズ「JeNny」の販促物（'97～'98頃）。箱パッケージの絵も担当（116P）。右はツアーパンフ「NAMIE AMURO TOUR "GENIUS 2000"」で安室奈美恵さんのイメージイラストを描いたもの。

Magazines*

雑誌

女性誌をはじめ、雑誌はいずれも
私のホームグラウンドだと思っています。

『Something 1979-2004
～ Birth of ViENUS ～』
● EDWIN ／ 2004

EDWINが発行していた『ViENUS magazine』表4を飾るアートを再録したページ。

『Casa BRUTUS』
No.13　April　2001
●マガジンハウス

「建築・ファッション」特集号のカバーイメージを担当。AD：藤本やすし（CAP）

『VOGUE NIPPON』
No. 56　2004年4月号
●コンデナスト・パブリケーションズ・ジャパン

6ページに渡るエクササイズページにイラストを描きおろしました。

『YORODU—ゆとり文化機関誌
よろづ』第5号 1997年12月号
● DANぼ

「きものスタイルブック」という企画で8Pにわたり、構成・絵・文を担当しました。

『SHIMOKITA STYLE』
2006年9月号～ 2007年10月号
●フリースタイル

全号の表紙イラストを担当。共に関わった仲間たちとイラスト展も開催しました。

『KANBASE』vol.1 1992（絶版）
●共同プレス

ちょうどモノクロ線画のスタイルに移行したころの絵です。ここからスタートする数見開きにわたりレイアウトも自ら担当しました。

『VOGUE NIPPON』
No. 72　2005年8月号
●コンデナスト・パブリケーションズ・ジャパン

「クチュールシルエットの着こなし術」という6ページ企画の扉イラスト。

『VOGUE NIPPON』
No. 90　2007年2月号
●コンデナスト・パブリケーションズ・ジャパン

7ページに渡り、シチュエーション別のイメージイラストを描きました。

『TAKÉO KIKUCHI QUARTERY』
No.7　AUTUMN WINTER 1991 ～ 92
● TAKÉO KIKUCHI

特集「いきの、消息。」内、多田道太郎氏の寄稿ページに着物姿の絵を提供。

Entertainment*

音楽・映画・演劇・etc...

『PIZZICATO FIVE JPN』(上)、
『PIZZICATO FIVE QUICKIE EP』
●コロムビアミュージックエンタテンメント／1997 上)、
● MATADOR RECORDS N.Y.／1995（下）

上は AD:信藤三雄（コンテムポラリー・プロダクション）

カヒミカリィ『Giapponese a Roma』
● siesta 73

海外で発行されたカヒミカリィさんの EP ジャケットに絵を提供。デザインはカヒミカリィさんが自ら手がけています。

オムニバス CD のカバージャケット
●キングレコード（左上から 2 番目）／1993
● EMI ミュージックジャパン（残り 3 点）／1993

このシリーズは、カバージャケットの表は写真で、裏にイラスト、というデザイン。

『スウィートラヴァーズ
～ UK ラヴァーズコレクション～』
● CENTURY RECORDS ／1991

CD カバーと歌詞カードにイラストを描きました。レイアウトも自分で手がけたもの。

「Beautiful Songs プロジェクト」
ライブツアー公式パンフレット
●『Beautiful Songs』プロジェクト実行委員会／2000

大貫妙子、奥田民生、鈴木慶一、宮沢和史、矢野顕子の各氏が参加したツアーのパンフ。

『東京ジャズストーリー』
（スタンダード編／カバー編）
●ポニーキャニオン／1993

CD ジャケットと折り込みカードの全面にカラーイラストを提供。（監修：馬場康夫）

『拝啓、越路吹雪様。』
● EMI ミュージックジャパン／1996

有名ミュージシャンが参加した越路吹雪氏トリビュートアルバム。CD カバージャケットのイラストを描きおろしました。

『ギター・デュオ集 ゴンチチ／ア・カップ・オブ・ゴンチチ』(楽譜／品切れ)
●ドレミ楽譜出版社／1994

表紙のカラーイラスト、中ページのモノクロカットを描きました。

「JAZZ 2SHOT CLUB」シリーズの CD カバージャケット（右上以外の 5 点）
『ハイ・ステッピン・レディ』（右上）
●キングレコード／1994
● CENTURY RECORDS ／1992（右上）

90年代に手がけた音楽や映画関係の仕事はコンセプト重視。
関わることで自分の世界を広げていくことができました。

ブリジット・バルドーの
映画DVD（廃盤）

●東北新社／2001

ブリジット・バルドーを描いたDVDジャケットです。（現在は販売を終了）

Yuming Song ミュージカル
『ガールフレンズ』公演ちらし

●主催：ガールフレンズ製作委員会／2006

全編ユーミンの歌で綴るミュージカル。ポスターやちらしの絵を描きました。

『ダイアルMを廻せ！』公演ポスター

●自転車キンクリート／1994

ヒッチコック映画の原作・脚本も手がけたフレデリック・ノットの舞台劇。東京と大阪で公演されました。

セルジュ・ゲンスブールと
ジェーン・バーキン関連イベントの冊子など

映画やフィルムイベント（川勝正幸氏等が主催）で発行された冊子にコミックなどを描きました。AD：竹本純生（1996）

作品集発売記念・特典ポスター

●ブルース・インターアクションズ／2000

作品集『système De La MODE』『The Look of Love』（118P）を2冊とも買われた方に抽選でプレゼントした特典ポスター。

映画『波の数だけ抱きしめて』ポスター

●配給：東宝、製作：フジテレビジョン、小学館／1991

'82年の湘南のミニFMを舞台にした中山美穂、織田裕二主演映画のポスター。カラーで描いていたころのもの。

キャンペーンポスター

松屋銀座の「クリスマス2002」キャンペーンでは、店内や駅構内に張られたポスター4種のイラストレーションを描きました。ポスターの赤い部分はトレーシングペーパーのように透ける紙。透けてうっすらとしか見えない絵が、風などで赤い紙がめくれると現れる新鮮な趣向でした。

企画制作：エム アンド エー／ CD：田中寛志／ AD･D：古平正義（フレイム）

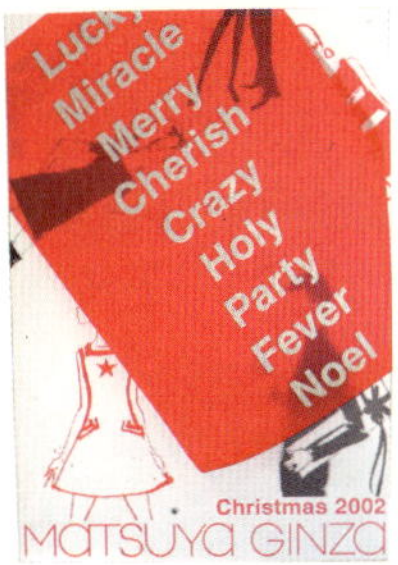

Visiting Miyuki Morimoto's Atelier

森本美由紀の仕事場へ ～アトリエと愛蔵資料～

白い空間が好きです。絵に集中している時にいろいろあるとじゃまに思えるので、自然とまわりに色を置かない選択になっていきます。だから私のアトリエは、扉はもちろん、床も壁も家具もすべてが白。塗り残した天井は、時間のある時に自分で白く塗っています。部屋の奥に造りつけた収納庫はデビュー当時の掲載誌や当時購入して以来愛読してきた思い入れのある資料でいっぱい。いつも見るわけでなくてもあると安心するものばかりです。今回は特別にそのラインナップから一部をご紹介しましょう。

1	2 / 3	4

1 便利なライトボックス付きの机はIKEAで購入。机の左サイドは手帳などが置かれた収納棚、ドアの裏には壁にかけた収納ケース。***2*** 本書のメイキングページ用に仕上げている途中だった線画。墨入れがほぼ終了した段階のもの。***3*** ウォークインクローゼット内の棚の一部は、季節ごとに模様替え。***4*** 幅も奥行もある収納棚。下の段を占める引き出し式のカゴには、初期のデッサンから最近の線画までを収納。データ化されていないものもたくさんあります。青いカーテンの左奥には、作品が掲載された商品などの控えを保管。右奥にはミニキッチン。

カーテンの奥にも資料をたくさんしまっています。

お気に入りの雑誌や写真集は何度も繰り返し眺めてきました。

アトリエの本棚から

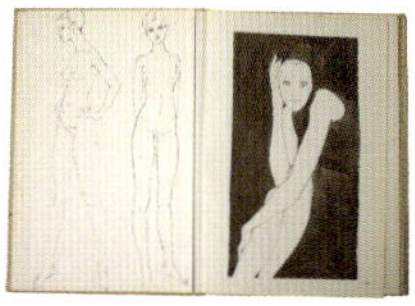

カラフルな冊子はバービー人形を買うとついてきたというカタログ。中上：イヴ・サンローランの作品集。右上：ファニー・ダルナの画集。その下：『セヴンティーン』誌、中下：ブロドヴィッチの作品集に掲載されたアヴェドンの写真。右下：ジヴァンシーの作品集。どれもお気に入り。

左上：『マドモワゼル』誌と『ヴォーグ』誌。右上：『「ヴォーグ」に見るファッション・ドローイング』。右中：BIBA の作品集。左下はピエール・カルダンの、右下はクリスチャン・ディオールの作品集（絶版）。

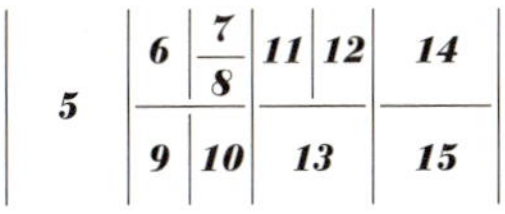

5 扉の向こうがアトリエ **6.9** 愛用のスケッチブックとマーカーペン。**7** 花は欠かさず飾っています。**8** 机の右横には壁掛けタイプの収納ケース。外出時のお供、i-Pod nano の定位置もここ。**10** 昔バービーの代わりに買い与えられたタミーちゃんの人形。今では気に入ってます。**11** 絵に登場する鏡のフレームは入り口やミニキッチンに。**12** 愛用の鉛筆削り。**13** 棚に見える雑誌は何度もめくり端がボロボロ。手前はバービーのカタログを入れたケース。**14** 最上段には昔からの愛読書『ジュニアそれいゆ』、その奥に初期の掲載誌を収納。**15** 窓の外に広がる景色を背に作品制作中。

皆で時間を決めて描くと集中できるし、人がどう描いているのかを見るのも勉強になりますよ。（2009年10月、PALETTE CLUB SCHOOLの教室にて）

at the workshop of illustration

撮影協力：PALETTE CLUB

profile

森本美由紀 *Miyuki Morimoto*

1959年生まれ
セツ・モードセミナー卒業後、フリーランスのイラストレーターとして活躍。エディトリアル、広告、プロダクトなども手がける。墨によるシンプルなドローイングで普遍的な女性のスタイル画を描き続け、フランスの雑誌にもイラストを提供。作品集に、『système De La MODE』『The Look of Love』（ブルース・インターアクションズ刊）など。10年ほど前からイラスト教室でデッサンのレッスンなどを担当し、講師を務める。現在、岡山在住。連絡先（e-mail）ccs44350@syd.odn.ne.jp

アートディレクション　阪戸美穂
ブックデザイン　池田紀久江
写真　原田奈々
取材・文　清水たかこ

モデル　nickey
ヘアメイク　machico

線《せん》画《が》をスタイリッシュに描《えが》くために

森《もり》本《もと》美《み》由《ゆ》紀《き》
ファッション
イラストレーションの
描《えが》き方《かた》

NDC726

2010年5月27日 発　行
2014年5月 1 日 第4刷

著　者　森《もり》本《もと》美《み》由《ゆ》紀《き》
発行者　小川雄一
発行所　株式会社　誠文堂新光社
〒113-0033 東京都文京区本郷3-3-11
（編集）TEL 03-5800-3614
（販売）TEL 03-5800-5780
http://www.seibundo-shinkosha.net/
印刷・製本　図書印刷株式会社

ISBN 978-4-416-61020-6